Chapitre 1

Les grosses bottes brunes

Justin s'arrête si net que Katie, qui le suit en scrutant la cime des arbres, lui marche sur les talons.

– Tu as entendu ? chuchote-t-il.

Katie recule d'un pas. D'un geste automatique, elle saisit l'appareil-photo qui lui pend autour du cou.

– On dirait un coup de feu.

Une autre détonation déchire l'air. À 20 mètres les buissons s'agitent pendant que le bruit s'évanouit. Puis, plus rien.

– Quelqu'un nous tire dessus ! dit Justin d'une voix étranglée, les yeux exorbités.

Il s'écrase au sol. Katie se couche derrière lui à plat ventre, bien appuyée sur les coudes pour protéger son appareil. Son esprit vif se met tout de suite en branle. Elle va évaluer calmement la situation et, surtout, ne pas tirer de conclusions prématurées. Son frère Justin, lui, ne réfléchit jamais avant d'agir; il est vrai qu'il n'a que 10 ans...

Katie a deux ans de plus, mais surtout elle s'y connaît en enquêtes. Depuis des années, elle dévore tous les romans policiers qui lui tombent sous la main, rêvant d'une affaire qu'elle pourrait élucider elle-même. « Avant tout, garder son calme », se dit-elle. Prenant une profonde inspiration, Katie se met à ramper devant elle en serrant son appareil-photo.

Lentement, Justin soulève la tête, se retourne et jette un coup d'oeil à Katie par dessous la visière de sa casquette de baseball. De petites mèches folles d'un brun roux s'échappent de la casquette bleu marine, d'où se détachent deux grosses lettres blanches : **F. F.** Sous la visière, le visage hâlé de Justin a pâli et ses yeux bruns, grands ouverts, sont fixes.

Katie voudrait bien le rassurer mais ne sait comment. Après tout, le dernier coup de feu était très proche. Et comme ce n'est pas la saison de la chasse, personne ne devrait être ici en train de tirer. Jetant un regard sur son blouson gris, Katie regrette la veste et la casquette orangées qu'elle porte toujours en forêt pendant la saison de la chasse.

Elle sursaute : quelque chose lui chatouille le doigt. Une fourmi rouge escalade tranquillement sa main. Katie lui donne une pichenette.

La forêt est étrangement silencieuse. Pas un chant d'oiseau, pas même un bruissement d'insecte. On dirait que toute la nature retient son souffle. Même les arbres.

Soudain, le cri métallique et pointu d'un aigle à tête blanche* brise le silence. Katie roule sur le côté, cherchant du regard à travers les cimes des sapins de Douglas. Ses larges ailes déployées, un immense oiseau sombre plane au-dessus des arbres. Il montre un moment le blanc de sa tête et de sa queue en éventail, puis disparaît.

Une corneille perchée sur une branche lance un cri rauque, puis BOUM !, une autre détonation fracasse l'air. Katie et Justin rentrent la tête dans les épaules pendant que le bruit finit de se répercuter. Le visage enfoui dans la fraîcheur humide

* Les scientifiques appellent désormais l'aigle à tête blanche un « pygargue à tête blanche ».

du sol, Katie sent son coeur cogner comme un fou dans sa nuque. Elle se traîne comme un serpent jusqu'à son frère. Justin a la respiration courte et saccadée.

– Il faut sortir d'ici ! chuchote-t-elle en repoussant les boucles brunes qui lui tombent sur le visage.

Justin secoue la tête.

– Si on se lève, il va tirer !

– Ça m'étonnerait. Pourquoi ferait-il ça ? Ce sont les chevreuils qui l'intéressent, j'imagine.

– Ce n'est pas la saison de la chasse.

Ah, Justin y a songé aussi...

– Alors ce doit être un braconnier, dit-elle aussitôt. Et si c'en est un, tu veux qu'il nous trouve ici, au beau milieu de la piste ?

Justin avale sa salive et roule hors de l'étroit sentier presque complètement envahi par l'herbe. À plat ventre, il disparaît parmi les épais buissons de salal*. Après son passage, leur feuillage raide bruisse à n'en plus finir.

Plus haut dans la piste, un écureuil lance des petits cris impatients, bientôt couverts par un gros toussotement. « La toux de grand-papa », pense Katie. Or son grand-père se trouve très loin aujourd'hui.

* Arbuste sauvage très commun sur l'île de Vancouver.

Il ne fréquente presque plus jamais son chalet du nord de l'île de Vancouver. Pas depuis qu'il s'est acheté une autocaravane.

La toux résonne encore, plus près cette fois. Katie pique vers les buissons en rampant. Le salal s'est à peine immobilisé qu'elle entend un pas. Un pas si lourd qu'il fait trembler le sol. Katie a beau fouiller, elle ne distingue rien à travers la broussaille. Les pas se rapprochent.

Soudain, arrivés presque à sa hauteur, ils s'arrêtent. Katie doit résister à une terrible envie de prendre la fuite. Tous les nerfs de son corps lui ordonnent de courir. Son coeur bat à se rompre. Mais elle serait idiote d'essayer de se sauver. Sa seule chance, c'est de rester absolument immobile sans faire le moindre bruit. De toutes ses forces, elle espère que Justin sera assez intelligent pour rester caché lui aussi.

Pendant un moment, le silence est total. Puis elle entend un autre toussotement — une voix d'homme marmonne quelque chose — les arbustes s'agitent. L'homme pénètre dans les fourrés !

Katie ne respire plus. Roulée en boule, elle essaie de se faire invisible sous le couvert de la végétation. Très contente maintenant d'avoir opté pour son terne blouson gris, elle tend l'oreille pendant que l'homme se fraie péniblement un chemin à travers l'épais salal (qui doit bien lui arriver jusqu'à la taille). Pas après pas, l'homme se rapproche. Au-dessus de la tête de Katie, des feuilles tremblent, secouées par le buisson voisin. Son coeur sursaute; elle le sent battre jusque dans son estomac.

C'est à cet instant précis qu'elle aperçoit les bottes. Des bottes de randonnée brun clair, géantes, d'où émergent des jeans. Katie fixe les lacets rouges et noirs qui se croisent à l'avant autour des oeillets noirs. Si elle étendait la main, elle pourrait presque les toucher... Une mouche se pose sur sa joue. Katie tressaille mais ne bronche pas.

Les bottes continuent leur chemin. De celle de gauche pend un bord de jean usé. Lentement, Katie laisse l'air s'échapper de ses poumons. Quand elle inspire à nouveau, ses narines frémissent. Il traîne une drôle d'odeur dans l'air. Une odeur de vieilles ordures.

Les bottes s'éloignent, en continuant de broyer le salal. L'homme avance péniblement, jurant entre ses dents. Il s'arrête.

– Mais qu'est-ce...? grommelle-t-il.

Katie sent son coeur s'arrêter de nouveau. Aurait-il découvert Justin? Elle tend l'oreille, prête à voler au secours de son frère. Mais l'homme ne fait que grogner, comme fait grand-papa quand il se penche pour ramasser quelque chose. Nouveaux froissements de verdure. «Il fait du tapage comme dix», se dit Katie.

Une fois le silence revenu, elle chuchote:

– Justin?

Pas de réponse.

– Justin? fait-elle un peu plus fort.

Toujours pas de réponse mais, à gauche, les buissons se mettent à bouger. Katie commence à ramper dans cette direction, s'ouvrant un chemin d'une main, protégeant son appareil-photo de l'autre. Si elle avait pu faire le moindre mouvement tout à l'heure dans sa cachette, elle aurait pris une photo des bottes géantes. Maintenant, il faudrait qu'elle se fie à sa mémoire.

Katie s'arrête. Dans une éclaircie elle vient d'apercevoir des petits pieds en chaussures de course trépignant d'impatience. Elle sort du fourré. Justin est là qui la regarde d'un air ébahi, le visage rose et tout barbouillé, des débris de feuilles sèches plein les cheveux.

Sur le signal de Justin, ils se mettent à courir. Katie suit son frère de tellement près qu'elle lui accroche presque les talons. Ses cheveux bouclés tressautent dans son cou. Tenant précieusement son appareil-photo, elle se protège en même temps des branches qui la fouettent au passage. En 15 minutes, ils ont rejoint le vieux chemin forestier en bas de la piste. Un trajet qu'ils ont mis une heure à parcourir en sens inverse.

Justin s'arrête sur le chemin et plaque ses mains sur ses genoux pour reprendre son souffle. Katie, elle, s'adosse contre un arbre et tourne son visage brûlant du côté de l'ombre, comme pour en recueillir la bonne fraîcheur. Des deux mains, elle soulève les cheveux qui lui collent sur la nuque puis, les yeux fermés, essaie de calmer sa respiration et de nourrir ses poumons en manque d'air.

Quand elle a à peu près repris son souffle, elle ouvre les yeux et considère son frère. Quelque chose ne va pas. Quelque chose qui la dérange depuis qu'elle a vu ses cheveux en broussaille en sortant des fourrés.

– Où est ta casquette ? demande-t-elle brusquement.

Justin se redresse et porte la main à sa tête.

– Elle a dû tomber. Ouais, je me souviens... Je l'ai sentie s'accrocher quelque part mais j'avais trop peur pour m'arrêter.

Katie le regarde droit dans les yeux.

– *Avant* que passent les grosses bottes ?

Justin plisse les yeux.

– Quelles grosses bottes ? Je n'ai pas vu de grosses bottes. Mais si tu parles du type qui fonçait dans le bois comme un monstre préhistorique...

Il s'arrête, mordille sa lèvre inférieure.

– Ouais, c'était avant, je l'ai perdue en rampant.

– Donc, quand il s'est arrêté, il s'est peut-être penché pour ramasser...

– Ma casquette ! Je parie que c'était ma casquette !

Le visage de Justin prend une teinte verdâtre.

– Katie, murmure-t-il effrayé, mon nom est écrit dedans ! Maman l'a marqué le mois dernier quand je suis allé au camp de baseball.

Katie sent sa gorge se serrer.

– Bon, ne t'énerve pas. Je suis sûre que ce n'est pas nous qu'il visait. Je te le répète, ce doit être un braconnier. D'ailleurs, il n'a même pas dû s'apercevoir de notre présence.

– Ne dis pas que je m'énerve, tu as couru aussi vite que moi, Katie Taylor ! C'est peut-être un évadé de prison, un tueur en série ! Il a peut-être ma casquette, Katie, penses-y ! Ma casquette avec mon *nom* écrit dedans ! Et puis elle n'est pas mouillée. Il va savoir tout de suite que je suis venu aujourd'hui. Il a plu la nuit dernière, tu le sais bien !

Katie a l'estomac tout à l'envers. Justin a peut-être raison. Respirant profondément, elle se dit qu'une bonne détective doit commencer par examiner les faits. Ne jamais laisser ses émotions prendre le dessus.

– Écoute, dit-elle en se forçant à prendre une voix calme, s'il a trouvé ta casquette, il saura que tu t'es trouvé ici, mais ça ne lui fera rien. Ce n'est pas un évadé de prison ni un assassin, c'est un braconnier. Rien d'autre.

Katie aimerait bien être aussi sûre d'elle qu'elle le laisse croire à Justin.

Ils prennent l'ancien chemin forestier, perdus tous deux dans leurs pensées.

– Tu as raison, y a pas de quoi s'inquiéter, dit Justin comme s'il essayait de se convaincre lui-même. Il ne peut quand même pas nous trouver au chalet.

Katie s'arrête.

– L'adresse est-elle écrite aussi ?

– Je ne pense pas, seulement notre numéro de téléphone en ville. D'ailleurs, si maman a écrit l'adresse, c'est celle de Martinville. Comment veux-tu qu'il nous trouve ici ?

– Ce ne serait pas difficile. Avec le nom, il n'a qu'à se renseigner aux alentours. Il y a des gens au lac qui savent qu'on passe nos vacances au chalet de grand-papa.

Katie se penche pour cueillir une grande herbe et se met à en mâchonner le bout tendre et sucré. Elle réfléchit.

– Disons qu'il nous a entendus, disons même qu'il a trouvé ta casquette, cela ne prouve pas que nous l'avons vu. Il serait bien fou de nous courir après.

Justin arrache une poignée d'herbes, s'en met une dans la bouche et jette le reste. Il recommence à marcher, les mains enfoncées dans les grandes poches de son blouson, vise une roche du pied, la rate.

– Et s'il *pense* qu'on l'a vu ? demande-t-il en regardant par-dessus son épaule.

Katie le regarde s'éloigner en fronçant les sourcils. Puisqu'elle n'a rien à répondre à cela, aussi bien ne rien dire. Puis elle emboîte le pas à son frère en marmonnant tout bas :

– Je gage qu'il ne nous a même pas vus, qu'il ne savait même pas qu'on était là. Puis il a trouvé la casquette de Justin. Je *sais* qu'il l'a trouvée. Mais ce n'est pas sur nous qu'il tirait, j'en suis sûre.

Chapitre 2

« Mes bons voisins... »

Katie et Justin rentrent chez eux en empruntant un chemin de terre étroit et sinueux qui suit le cours d'un petit ruisseau. Des aulnes se dressent de part et d'autre du chemin et leurs pointes, bruissant dans la brise, se rejoignent délicatement pour former un long tunnel vert, vivant et tranquille.

Sur une bande herbeuse, au milieu de la route, poussent de jeunes plants d'aulnes et de petits conifères : sur cet ancien chemin forestier maintenant abandonné, la nature reprend peu à peu ses droits. De chaque côté de cette arête de verdure, la piste se poursuit, à peine plus large qu'un pneu de camion.

Au bas de la pente, Justin s'arrête.

– Bizarre, dit-il en examinant le sol boueux. Je n'ai pas remarqué ça en montant tout à l'heure.

– Des traces de pneus, dit Katie. Ce doit être le type au fusil.

– Ça m'étonnerait. On n'a pas vu de camion au début du sentier de randonnée.

– Et puis après ? Il a pu se garer plus haut et pénétrer dans la forêt par un autre sentier.

Katie colle son appareil-photo à son oeil droit et se penche sur les traces, parfaitement nettes dans la terre mouillée.

– Qu'est-ce que tu fais ? demande Justin en se penchant lui aussi.

– Un bon détective recueille tous les indices possibles, jusqu'au plus petit. On ne sait jamais d'avance ce qui peut se révéler important.

Katie, qui se prépare à prendre une autre photo, s'étonne du silence de Justin. D'habitude elle n'a qu'à prononcer le mot « détective » pour déclencher ses taquineries. Mais là, il se tait, les bras croisés.

– Bon, ça devrait aller, dit-elle.

Ils se remettent en route. Katie se met à songer aux notes qu'elle va prendre dans son *Cahier d'enquêtes* ce soir. Devrait-elle les classer sous « Braconnage », « Coups de feu » ou « Grosses bottes brunes » ? Soudain, elle se rend compte que Justin n'est plus à ses côtés. Il est resté derrière, tourné vers la rivière, et fixe par-dessus une étroite bande de buissons et d'aulnes une invitante plage de gravier.

– J'ai faim, déclare-t-il. Arrêtons-nous ici pour manger, d'accord ?

Ayant franchi les buissons, ils s'installent au bord de la rivière. L'eau court, faisant de jolies bulles sur les roches et dessinant de petits tourbillons. Au bout d'un moment, Katie tire d'une poche de son blouson un petit pain, du fromage et des cornichons enveloppés dans du papier ciré. Dans l'autre, elle prend une pomme et une tablette de granola.

Justin fouille dans sa veste. Il se lève, fouille dans ses poches de jean, en sort un paquet de gomme à mâcher.

Katie le regarde, incrédule.

– Encore ! Je te l'ai dit vingt fois avant de partir ! Eh bien, tant pis pour toi, j'ai faim et je ne partage pas mon lunch avec toi aujourd'hui !

Avec un petit gémissement Justin se rassoit et regarde sa soeur mettre le fromage sur son pain. Il la suit des yeux quand elle le porte à sa bouche.

– Juste un morceau de fromage? S'il te plaît?

Il s'affaisse comme un vieux sac de patates.

– J'ai tellement faim que je me sens faiblir. J'ai plus de forces pour marcher...

– Ce que tu peux être stupide, Justin! Tu n'aurais pas pu prendre tes précautions pour une fois dans ta vie? C'est moi qui ai préparé mon lunch et j'ai l'intention de le manger!

– Juste un cornichon, un cornichon pour un pauvre garçon affamé, est-ce trop demander?

Katie soupire, lui tend un cornichon et un morceau de fromage. Justin mange le cornichon mais garde le fromage dans sa main. Il zieute le petit pain en se léchant les lèvres.

– Tiens, c'est tout ce que tu auras, dit Katie, lui donnant un bout de pain. La prochaine fois, tu n'as qu'à apporter le tien!

En colère, elle croque dans son cornichon. Soudain, Justin fige en regardant sa soeur. Katie lui lance un regard interrogateur. Il fait un signe de tête en direction du chemin. Elle avale son cornichon. Puis elle distingue le bruit elle aussi.

Par-dessus le murmure du cours d'eau on entend des pneus crisser sur le gravier du chemin. Peu après, le son d'un moteur.

– C'est lui ! s'écrie Justin.

– Comment le sais-tu ?

– C'est lui, je te dis ! On ne voit plus jamais de camions ici.

– C'est possible, reconnaît Katie.

Le grondement du moteur est très proche maintenant. Katie et Justin échangent un regard et se précipitent dans les fourrés qui longent la route. De là ils seront invisibles. Quelques secondes plus tard apparaît une camionnette, ou plutôt le haut d'une camionnette : gris en avant, noir en arrière. À la hauteur de la plage, la camionnette ralentit. Katie regarde par-dessus son épaule : oui, le papier ciré et la pomme rouge qu'elle a laissés sur la roche se voient très bien. Le conducteur peut-il les apercevoir aussi ?

Katie se tourne vers son frère. Justin est accroupi très bas, les yeux rivés à la camionnette. Il semble prêt à déguerpir à la moindre alerte. Mais le camion accélère de nouveau et disparaît sur la route.

Justin se lève.

– Ouf! fait-il s'essuyant le front du dos de la main. Pendant une seconde, j'ai cru qu'il allait s'arrêter.

– Moi aussi, mais il a continué. Au moins on n'aura plus peur qu'il nous rattrape.

Katie veut se reposer un peu et finir de manger avant de regagner le chalet.

– J'ai encore plus faim que tout à l'heure, dit Justin en reluquant le dessert. On devrait finir notre lunch.

– Comment, *notre* lunch ? Le tien est fini, petit frère de mon coeur.

Elle fait semblant de ne pas le voir, mais Justin ne la quitte pas des yeux pendant qu'elle entame sa tablette de granola. Elle lui en donne un morceau et croque dans sa pomme. Une belle pomme ferme et juteuse qu'elle n'a pas du tout envie de partager. Justin se tait. Quand la moitié de la pomme a disparu, Katie n'en peut plus. Elle regarde son frère: un peu plus et la salive lui coulerait sur le menton.

– Tiens! Mais tu ferais mieux de t'en souvenir la prochaine fois que je te demanderai une faveur.

– Oui, oui, tu ne le regretteras pas, je te promets. Tu es la grande soeur la plus fine du monde.

Il dévore le reste de la pomme. Katie secoue la tête et se met à rire. Justin a beau avoir seulement deux ans de moins qu'elle, certains jours elle se sent assez vieille pour être sa mère.

****

– Dommage que je n'aie pas apporté ma canne à pêche, dit Justin un peu plus tard en grimpant sur un gros rocher entouré d'eau. Je viens de voir un poisson.

– On n'allait pas à la pêche aujourd'hui, on allait voir si les petits aiglons qu'on a vus le mois dernier sont prêts à voler.

– Je sais.

Justin s'accoude au rocher, le menton dans les paumes.

– C'était super de voir les parents les nourrir. Ils avaient la tête tout ébouriffée. Tu te souviens des petits cris qu'ils poussaient en s'étirant le cou pour attraper des morceaux de poisson?

– J'espère qu'ils sont encore dans le nid. En tout cas, je suis bien contente que l'école ait fini deux semaines plus tôt cette année.

– Moi aussi, dit Justin en se levant.
Il saute en bas du rocher.
– On s'en va. J'ai encore faim.

****

Une heure plus tard, le frère et la soeur quittent le grand chemin forestier et s'engagent dans l'allée étroite qui descend en serpentant vers le chalet, entre des cèdres et de grands sapins de Douglas. L'allée débouche sur une petite clairière. Là se dresse une maisonnette en bois rond rustique qui surplombe le lac à l'Aigle. Leur grand-père n'y vient presque jamais maintenant, et les Taylor passent presque toutes leurs vacances ici.

Une fourgonnette bleu et argent est stationnée derrière le chalet dans un assez grand espace entouré d'arbres sur trois côtés. Juste à côté se trouve une camionnette grise. La boîte, à l'arrière, est noire. Katie et Justin s'arrêtent brusquement, échangent un regard et courent l'examiner.

La première chose que Katie remarque est une carabine fixée sur un support au-dessus de la vitre arrière de la cabine. Reculant vers la boîte du camion, elle jette un coup d'oeil à l'intérieur par la fenêtre latérale: elle aperçoit une bassine en plastique bleu, du genre qu'on prend pour donner le bain aux tout petits bébés. Dedans, un grand sac à ordures vert fait une bosse de la grosseur d'un chien. À côté de la bassine, une boîte de carton dont Katie ne voit pas le contenu.

Elle sent une main sur son épaule et se retourne. C'est son frère qui la fixe de ses yeux bruns inquiets.

– Viens-t'en. Il doit être avec papa et maman.

Côte à côte, ils gagnent le devant du chalet. Katie note la chaloupe qui danse dans les vagues le long du petit quai, le canot rouge renversé sur la grève. Tout a l'air normal. Ce n'est qu'en contournant la galerie couverte qu'elle entend parler.

Elle tapote le bras de Justin et met un doigt sur ses lèvres. Ensemble, ils tendent l'oreille. Mais ils ne distinguent pas de paroles, seulement des voix tranquilles, un rire léger.

– Allons voir ce qui se passe, chuchote Justin.

Sandra Taylor est assise, toute droite, dans un siège en rotin vert près des marches. Elle porte un short, un t-shirt et des sandales. Ses cheveux noirs, raides, dépassent d'un chapeau à larges bords — celui qu'elle porte chaque fois qu'elle sort en chaloupe. Katie remarque les jumelles et la tablette à dessin à un bout de la causeuse, et se dit que sa mère devait s'apprêter à partir quand l'inconnu est arrivé.

– Déjà revenus ? lance Mme Taylor d'un ton exagérément jovial en voyant les enfants.

Katie essaie de ne pas regarder l'homme qui, à l'autre bout de la causeuse, tient une tasse de café. Mais elle ne peut s'empêcher de constater qu'il est très gros. Son ventre roule par-dessus sa ceinture — difficile d'être sûr qu'il en porte une, d'ailleurs — et repose sur ses cuisses. Il a la barbe la plus énorme et la plus touffue qu'elle ait jamais vue, surmontée d'un crâne chauve. On dirait que sa tête a été plantée à l'envers...

– Alors, dit Mme Taylor, vous vous êtes bien amusés ?

– On ne s'est pas rendus très loin, répond Katie. Justin a oublié son lunch. Encore une fois.

Sa mère se met à rire.

– Au moins il l'a préparé cette fois-ci! Il l'a laissé sur le comptoir de la cuisine.

– Avec le pain, la confiture, le beurre d'arachide, la boîte de biscuits et une pelure de banane, ajoute leur père.

Incliné vers l'arrière dans sa chaise, les jambes allongées, Kevin Taylor, en maillot de bain et pull de coton molletonné, tient sa tasse des deux mains. Ses cheveux mouillés lui font une tête toute frisée. Sans ses lunettes, ses yeux bleus se plissent un peu. Sa serviette traîne sur la rampe.

– Vous l'avez deviné, voilà nos enfants, Katie et Justin, en vacances forcées à cause des compressions budgétaires. Les enfants, voici M. Benjamin Benedict. Il habite à quelques kilomètres d'ici sur le lac. Il a aperçu de la lumière hier soir en pêchant et s'est arrêté pour nous dire bonjour.

– Enchanté, dit le gros homme en tendant un énorme bras.

« Ses doigts ont l'air de grosses saucisses », se dit Katie en lui donnant la main. « Mais il a une bonne poigne ferme et sèche. Rien à voir avec de la saucisse! »

– Je venais voir vot' grand-père dans l'temps, dit-il. L'ai pas vu depuis qu'il a acheté sa grosse caravane de luxe.

Katie essaie de retirer sa main. Il lui semble qu'avant de la lâcher, M. Benedict lui sourit dans sa barbe.

– Comme ça vous cherchiez des nids d'aigle dans la montagne, que me dit vot' mère?

– Pas exactement, répond Katie en cherchant à apercevoir, de l'autre côté de la table ronde, les pieds du visiteur.

Ils sont trop bien dissimulés. Se rendant compte qu'elle est penchée sur la table et que tout le monde la regarde, elle attrape un muffin dans l'assiette.

– On voulait aller voir les petits aiglons qu'on avait observés le mois dernier, mais on s'est arrêtés en chemin, on avait trop faim.

Katie prend une bouchée de muffin et regarde son frère avec l'air de lui dire: toi, ne me contredis pas!

– Je m'en vais me faire un sandwich au beurre d'arachide, déclare Justin en poussant la porte du chalet.

– Fais-en un pour moi pendant que tu y es! lui lance Katie.

– Et pourquoi, je te prie?

– Parce que, petit frère chéri, tu as mangé la moitié de mon lunch.

– Ha ! Un misérable petit morceau de fromage et une bouchée de pomme !

Leur père rit.

– Notre Justin tout craché ! Fais-en un pour ta soeur, ajoute-t-il plus fort, et n'oublie pas de tout ramasser quand tu auras fini !

Justin entr'ouvre la porte, souriant d'un air espiègle.

– Depuis quand est-ce que je ne ramasse pas ?

Il disparaît de nouveau à l'intérieur.

Le visiteur, l'air un peu ébahi, pousse un grognement qui peut passer pour un rire. Il fixe son regard bleu et pâle sur Katie.

– Heureusement que vous êtes pas allés dans l'bois aujourd'hui, toi pis ton frère. Je l'disais justement à tes parents, y a un cougar qui rôde dans les parages. Terrible. Il doit avoir faim parce qu'il descend jusqu'aux maisons pour voler d'quoi manger. J'ai entendu dire que le vieux Max du haut d'la rivière a perdu son chien.

– Vous voulez dire que le cougar l'a pris ? demande Katie

L'homme secoue sa grosse tête et avale une gorgée de café.

– Peut-êt' que oui, peut-êt' que non, en tout cas, il est parti.

– Êtes-vous monté à la montagne aujourd'hui, monsieur Benedict ?

Le visiteur glousse en secouant sa barbe :

– Appelle-moi Ben. Tout l'monde m'appelle Ben. (Ses gros doigts-saucisses viennent gratter sa barbe.) Non, pas avec un cougar dans l'coin. J'suis allé pêcher du côté d'la rivière.

– Avez-vous attrapé quelque chose ? demande Katie en pensant au sac à ordures et en se demandant pourquoi elle n'a pas vu de canne à pêche dans la camionnette.

– Non. Rien pantoute aujourd'hui.

Ben grogne d'effort en se mettant debout.

– Bon, dit-il, y faut que je parte.

De sa poche de chemise, il sort une pipe qu'il commence à bourrer de tabac. La tenant entre ses dents, il cherche une allumette dans sa poche, en trouve une, l'allume. Sa tête s'entoure de nuages de fumée.

La fumée sent les vieilles ordures.

– Merci pour votre hospitalité, madame Taylor, fait-il en articulant à peine, la pipe toujours serrée entre les dents.

Mme Taylor sourit poliment.

– Il n'y a pas de quoi, répond-elle.

Elle se met la main devant la bouche pour ne pas montrer que la fumée l'incommode.

Quand Ben fait le tour de la table, Katie se rend compte qu'il est immense. Un géant! (Elle lui arrive à peu près à l'estomac.) Et ses pieds! Ce sont les plus grands pieds qu'elle ait jamais vus. Sauf qu'ils ne sont pas chaussés de bottes de randonnée brunes, mais glissés dans des bas de laine gris et une paire de sandales noires en cuir. Katie remarque aussi les bords de jeans tout effilochés.

Elle lève le visage. Ben lui sourit, montrant une rangée de dents jaunes, et lui fait un clin d'oeil. Katie détourne le regard.

– N'oubliez pas le cougar! lance-t-il en descendant l'escalier. Je ne voudrais pas perdre un de mes bons voisins!

Chapitre 3

Au secours des aiglons

Katie songe encore à Ben, ce soir-là, en déposant une brassée de bois près du creux sur la grève où les Taylor ont l'habitude d'allumer le feu de camp.

– C'était lui, je le sais, insiste-t-elle. Heureusement d'ailleurs que tu as eu l'intelligence de ne pas mentionner les coups de feu pendant qu'il était ici. N'en dis rien à papa et à maman non plus.

– Me prends-tu pour un idiot? réplique Justin en ajoutant du bois sur la pile. S'ils l'apprenaient, ils ne nous laisseraient plus jamais monter au nid. Mais qu'est-ce qui te fait croire qu'il s'agissait de Ben ? Ce pouvait être n'importe qui.

– Tu disais toi-même que personne ne passait plus sur le vieux chemin! Tu changes vite d'idée, je trouve!

– Oui, mais maman et papa ont l'air de trouver Ben sympathique. Moi aussi, je le trouve bien. Et puis, s'il a ma casquette, pourquoi ne me l'a-t-il pas rendue?

– Parce qu'il n'est pas fou lui non plus: il ne veut pas qu'on sache qu'il était dans la forêt. C'est pour ça qu'il a raconté qu'il était allé à la pêche. D'ailleurs, l'homme en question était gros, il fumait et il avait des pieds de géant.

– Comment ça? On ne l'a même pas vu.

– J'ai vu ses bottes, je l'ai entendu tousser — comme grand-papa qui tousse chaque fois qu'il fait 20 mètres à pied, tu sais, parce qu'il fume — et il a grogné en se penchant pour ramasser ta casquette. Les obèses font ça, ils ont du mal à faire le tour de leur grosse bedaine.

– Chère grande détective, je regrette de t'annoncer qu'il y a beaucoup de gros hommes qui fument et qui ont des grands pieds.

– Est-ce qu'ils fument tous du tabac à pipe qui pue les ordures?

– Pourquoi pas? dit Justin en froissant du papier en boulettes. C'est peut-être le dernier cri en fait de tabac à pipe.

– Ha-ha, Justin. Tu ne peux vraiment pas supporter que j'aie raison, n'est-ce pas ?

– Raison à propos de quoi ? demande leur père qui arrive avec les saucisses, les petits pains et les condiments.

M. Taylor dépose son plateau sur un banc de bois et se redresse. Il est de taille moyenne et bien bâti. Ses épais cheveux frisés — qu'il a essayé, comme d'habitude, de soumettre au peigne — paraissent presque blonds dans la lumière du soleil couchant. Derrière ses lunettes, ses yeux bleus perçants vont de Katie à Justin.

– Katie pense que ce type, Ben, est allé dans la forêt aujourd'hui, dit Justin.

M. Taylor regarde sa fille d'un air sévère.

– Il t'a pourtant dit que non.

– Comment va le feu ? dit Mme Taylor.

Elle s'approche avec des tasses, un gros thermos et un sac de guimauves. Puis elle regarde Katie comme si elle venait juste de comprendre de quoi il est question.

– Pourquoi mentirait-il ? demande-t-elle.

– Je ne sais pas, répond Katie avec un haussement d'épaules. C'est peut-être un...

Elle se mord la lèvre. Dans sa tête elle ajoute « un braconnier », mais elle ne peut pas le dire. Sinon ses parents apprendront qu'il y a eu des coups de feu dans la forêt.

– C'est peut-être un solitaire, reprend-elle. Quelqu'un qui n'aime pas que les autres mettent le nez dans ses affaires.

– C'est possible, dit sa mère en plissant le front.

Mme Taylor dispose tout l'attirail de barbecue sur la petite table en pin que son père, grand-papa Clarke, a construite lui-même il y a presque 15 ans. Ensuite, à genoux, elle étale du bois d'allumage sur les boulettes de papier.

– Ben nous a dit qu'il était allé pêcher dans la rivière, dit M. Taylor, l'air perplexe. Tu n'as aucune raison de ne pas le croire.

– Il n'est pas allé à la pêche, réplique Katie sur un ton ferme. J'ai regardé à l'intérieur de sa camionnette. Il n'y avait pas de canne à pêche.

Son père croise les bras. Son regard s'est assombri.

– Katie, ce n'est pas parce que tu veux devenir détective que tu vas te mettre à espionner les honnêtes gens.

Pendant ce temps, Sandra Taylor a mis le feu au papier avec une allumette.

– C'est un drôle de type, fait-elle.

– Eh bien moi, je l'ai trouvé très bien, dit son mari. Il est différent, c'est tout. C'est un homme des bois, il a sa façon à lui de faire les choses.

– Homme des bois ou pas, dit Mme Taylor en mettant des bouts de branches dans le feu, ce type a le regard fuyant. Il ne vous regarde pas droit dans les yeux. Je ne serais pas du tout étonnée qu'il ait inventé cette histoire de cougar juste pour se débarrasser de nous. Il doit se dire que des « gens de la ville » vont tout de suite déguerpir s'ils croient qu'un méchant animal sauvage rôde dans les parages.

Justin suit la conversation des yeux mais, pour une fois, il écoute sans rien dire.

– Qu'est-ce qui te fait croire ça ? demande Katie.

Sa mère s'assoit sur ses talons et replace des deux mains les mèches noires qui se sont échappées de sa courte natte française.

– Pour commencer, j'ai aperçu le vieux Max ce matin en canot. Il pêchait à l'embouchure de la rivière et son chien était là.

– Ça ne prouve rien, observe M. Taylor, dont le visage a rosi près du feu. Peut-être que son chien s'est perdu et qu'il est revenu. Ou peut-être que Max a plusieurs chiens.

– Ou peut-être que Ben a quelque chose à cacher, ajoute Katie.

Oups ! Pourquoi n'a-t-elle pas tenu sa langue ?

Son père lui lance un regard, un regard qu'elle connaît bien. Dans un instant il va lui dire qu'elle passe beaucoup trop de temps à « ses petites enquêtes ». Décidément, elle doit garder ses soupçons pour elle jusqu'au jour où elle aura tellement de preuves que même son père devra la prendre au sérieux.

– Mangeons, dit-elle en attrapant une saucisse pour la mettre à rôtir.

****

Le lendemain matin, Katie et Justin repartent en randonnée. Dans l'allée, Katie demande à son frère :

– Tu es bien sûr d'avoir ton lunch ?

Justin tâte ses poches.

– Évidemment que je l'ai. J'ai même apporté autre chose qu'on n'avait pas hier.

– Quoi ?

– Devine.

Katie examine son frère. Elle remarque une courroie noire autour de son cou et une bosse sous son blouson, un peu plus grosse que l'appareil-photo qu'elle porte en bandoulière.

– Les jumelles. Bonne idée !

– Tu as triché, tu étais censée deviner !

– Exactement ce que j'ai fait : une supposition éclairée inspirée par mes remarquables pouvoirs de déduction.

– C'est ça, Katie. Pourquoi est-ce que je ne t'appelle pas Sherlock Holmes tant qu'à y être ?

– Va pour Sherlock Holmes ! Et toi, tu seras Watson, mon irremplaçable homme de confiance.

Justin lui fait une grimace. Quelques pas plus loin :

– Je crois qu'on ne devrait pas s'éloigner l'un de l'autre aujourd'hui, fait-il. Juste au cas.

Il ramasse un gros bâton et continue :

– J'imagine qu'un cougar n'attaquera pas deux personnes à la fois.

– As-tu peur ?

– Non, non... Je pense à toi, c'est tout.

– Petit frère de mon coeur !

****

– Voilà le nid ! s'écrie Justin.

Il s'est arrêté sur le sentier rocailleux et montre une ouverture entre les cimes.

Même à cette distance, le nid paraît gros, calé entre le tronc et deux hautes branches d'un sapin de Douglas étêté depuis des années. Il est formé d'un énorme enchevêtrement de bouts de bois et de branches entrelacés dont la majeure partie, on ne sait trop comment, demeure intacte année après année.

– Tu te souviens comme il était petit la première fois qu'on l'a vu ? dit Katie. Tous les ans, ils l'agrandissent.

– Oui, dit Justin en regardant dans ses jumelles. Il doit dépasser deux mètres de profondeur maintenant.

– Vois-tu des aigles ?

– Non... Attends, oui, je crois que je vois une tête dans le nid. Elle bouge, elle s'approche du bord !

– Laisse-moi regarder ! dit Katie en tendant une main impatiente vers les jumelles.

Malheureusement, quand vient son tour, l'oisillon a disparu.

– Je me demande si les parents sont encore obligés de tailler la nourriture en petits morceaux pour les nourrir.

– Approchons-nous, on verra peut-être mieux.

Ils se remettent en route, Justin juste derrière Katie, chacun tenant un gros bâton. Katie a ramassé le sien à l'entrée du sentier.

– As-tu peur ? demande Justin.

– Bien sûr que non. Je pense à toi, c'est tout.

****

Ils progressent à pas lents et silencieux maintenant, essayant de rester invisibles pour ne pas déranger les parents aigles. Quand le nid apparaît nettement au-dessus des arbres, ils quittent le sentier et s'engagent dans une piste étroite, à peine tracée, qu'ils ont découverte pendant la longue fin de semaine du mois de mai.

– Tu entends ce drôle de bruit ? chuchote Justin.

Katie s'arrête pour mieux écouter. « Yap-yap-yap. Yap-yap-yap. » C'est un appel calme, pas un cri vigoureux ni un pépiement.

– On dirait une mouette, dit Katie.

– Oui, mais je crois que ça vient du nid.

De leur position sur la piste, ils ne distinguent plus le nid, caché maintenant par les immenses troncs des sapins et des cèdres.

– Étrange, on n'a pas entendu les parents, dit Katie. Ils faisaient un tel vacarme la dernière fois !

– Ils doivent être partis chasser, dit Justin.

Finalement, le frère et la soeur atteignent la petite butte d'où ils ont observé les aigles à peine un mois plus tôt. Ce jour-là, ils avaient vu les parents se poser sur le bord du nid, déchirer avec leur bec la nourriture qu'ils tenaient dans leurs serres pointues, et la mettre dans le bec des aiglons.

Katie et Justin s'installent sur le sol moussu, abrités par les grandes branches basses d'un cèdre. Le nid leur est bien visible mais ils demeurent cachés, même à la vue perçante d'un aigle.

Les yap-yap-yap continuent.

Une forme petite et ronde se montre au bord du nid. Puis une autre. Katie les repère avec le petit téléobjectif de son appareil-photo.

Cet appareil est la chose la plus précieuse qu'elle possède. Il l'accompagne partout. D'autres ont sur eux un carnet de notes, mais Katie a découvert dans ses expéditions avec Justin qu'elle n'a pas le temps, souvent, de s'asseoir pour écrire. Par contre, un rapide cliché peut être utile plus tard. Alors elle s'entraîne à bien observer, à se souvenir des détails, et les inscrit le soir dans son *Cahier d'enquêtes*.

– Je ne vois pas bien, dit-elle, j'ai besoin d'une meilleure lentille. Me passerais-tu les jumelles ?

– C'est eux ! s'écrie Justin. Ce sont les petits ! Ils ont la bouche ouverte, c'est eux qui font ce drôle de bruit. Oh, comme ils ont grandi !

– Laisse-moi regarder ! dit Katie.

Justin finit par lui passer les jumelles. Katie aperçoit deux têtes blanchâtres, ébouriffées, qui se tendent vers le ciel. C'est vrai, les aiglons ont beaucoup grossi. Ils seront bientôt de la même taille que leurs parents. Leur bec ouvert, au bout foncé, monte et descend, émettant leur appel si particulier.

– Je pense qu'ils ont faim, dit Katie.

– Sans doute, dit Justin en fouillant du regard le ciel vide. Je me demande où sont les parents.

– Probablement qu'ils avaient faim eux aussi et qu'ils sont allés se nourrir. J'imagine qu'ils reviendront bientôt.

Mais les parents aigles ne reviennent pas. Katie et Justin passent des heures dans leur cachette. Ils prennent des photos, mangent leur lunch, surveillent le ciel sans relâche. Pendant tout ce temps, les aiglons n'ont pas cessé de lancer leurs pathétiques petits cris.

Katie est étendue sur la mousse, les yeux perdus dans la dentelle verte du cèdre. Mais ce n'est pas le feuillage qu'elle voit, c'est un aigle adulte qui plane au-dessus des arbres, appelant son partenaire. Dans sa tête, elle entend le craquement sec d'une détonation se répercuter dans la forêt.

– Je me demande... murmure-t-elle avec un frisson.

- Quoi ?

Elle s'assoit et repousse les mèches de cheveux qui lui chatouillent le front.

– ... si quelqu'un n'a pas tué les parents hier...

Sa voix n'est qu'un souffle.

Katie fixe son frère. Elle voit ses yeux se rétrécir un peu, son visage devenir grave pendant qu'il se remémore les événements de la veille. À son air alarmé, elle sait qu'il a tiré la même conclusion qu'elle.

– Mais qui ? dit Justin. Et pourquoi ?

Katie secoue la tête.

– Je n'ai pas découvert le pourquoi, répond-elle. Mais je crois connaître le qui. Vite, partons !

****

Rentrés au chalet à la course, les deux jeunes trouvent leurs parents assis, les pieds dans l'eau fraîche, au bout du vieux quai qui s'avance dans le lac à l'Aigle.

– Il est arrivé quelque chose aux parents, crie Katie à bout de souffle.

– Les aiglons sont en train de mourir de faim ! enchaîne Justin en haletant.

Sandra et Kevin Taylor échangent un regard. Dans un mouvement simultané ils sortent les pieds de l'eau et se tournent vers leurs enfants.

– Calmez-vous, dit Mme Taylor, et commencez par le commencement, voulez-vous ?

À la fin du récit, toute la famille est remontée au chalet et s'est installée sur la galerie.

– Je ne peux pas croire que vous ne nous ayez pas parlé des coups de feu, dit Mme Taylor. Vous n'auriez jamais dû retourner dans le bois aujourd'hui.

– Ce n'est pas grave, maman, je t'assure, dit Katie. Il n'y a presque aucun risque qu'un braconnier revienne au même endroit deux jours de suite.

– Elle a raison, dit son père.

M. Taylor se frotte le front où s'est creusée une grosse ride entre ses sourcils.

– Mais pour les aiglons, il faut faire quelque chose. Ils ne survivront pas longtemps sans nourriture et sans eau.

– Malheureusement, c'est trop tard pour aujourd'hui, dit Mme Taylor en tapotant le plancher de ses orteils nus. Demain matin, on va se lever tôt et partir tout de suite pour la ville. Ces petits-là ont besoin d'aide.

Chapitre 4

Danger : cougar !

Quand Katie et Justin émergent de leur chambre le lendemain matin en se frottant les yeux, leur mère a déjà mis dans un sac un thermos de thé, des oranges et des muffins.

– Allons-y, dit-elle.

– Commençons par le Service canadien de la faune à Qualicum, dit M. Taylor. Je connais un des employés.

À l'heure où les Taylor s'engagent sur le grand chemin forestier, le soleil est encore bas dans le ciel. Il pointe à peine au-dessus de la colline qui borde l'autre côté du lac à l'Aigle. Sur la route poussiéreuse, la fourgonnette soulève un petit nuage de poussière.

Aussitôt arrivés en ville, M. Taylor trouve une cabine téléphonique et appelle le Service. On lui donne le numéro sans frais des « Infractions aux règlements sur la pêche et la chasse » à Vancouver. De là on le renvoie au ministère de l'Environnement à Victoria où, enfin, un spécialiste des espèces menacées lui indique le bureau de protection de la faune le plus proche.

Kevin Taylor sourit en raccrochant le téléphone.

– Ça y est! L'agent s'en vient en camion tout-terrain avec une biologiste et du matériel. Ils viendront vous prendre tous les deux au chalet à 13 heures pour que vous les guidiez jusqu'au nid.

****

À 13 heures précises, le camion descend l'allée. Un homme d'une trentaine d'années, grand, costaud, les cheveux bruns coupés très courts, se présente:

– Jack Robertson, dit-il en serrant la main de M. Taylor. C'est à moi que vous avez parlé ce matin.

La femme qui descend du siège du passager a la quarantaine avancée, une silhouette mince et anguleuse, le visage étroit. Ses cheveux blonds sont retenus en une petite queue de cheval. Quand elle sourit, ses yeux pétillent de santé et les plis de son visage lui donnent un air chaleureux.

– Et voici Mme Tania Baker, notre biologiste de la faune et des oiseaux de proie.

Kevin Taylor fait le tour du véhicule et la salue.

– J'espère qu'il n'est pas trop tard pour sauver les aiglons, dit-il.

– Ça devrait aller, dit Mme Baker. À cet âge, ils peuvent se passer de nourriture pendant quelques jours. Heureusement, le temps est doux : il ne fait pas assez froid pour qu'ils souffrent d'hypothermie, pas assez chaud pour qu'ils se déshydratent. Quand avez-vous vu les parents pour la dernière fois ?

– Il y a deux jours, répond Katie. Nous étions encore assez loin sur le sentier, mais nous avons aperçu à travers les arbres un adulte perché près de l'arbre où se trouve le nid. Il appelait sa partenaire. L'autre a répondu. C'était quelques minutes avant le premier coup de feu.

Katie se souvient du froissement dans les buissons après la deuxième détonation. Était-ce le bruit d'un aigle tombant du ciel?

– Une détonation ? s'étonne l'agent. Vous êtes sûr qu'on les a abattus?

– Non. On ne savait pas ce qui se passait. Justin pensait que quelqu'un tirait sur nous.

– Pas du tout! interrompt Justin.

– Alors pourquoi t'es-tu jeté à terre?

– Parce que... j'ai voulu... j'ai voulu être prudent.

– Tu as bien fait, dit Jack.

Justin fait une grimace à sa soeur.

– En arrivant là-haut, vous allez me montrer exactement où vous vous trouviez quand vous avez entendu les coups de feu.

Jack Robertson et Tania Baker se mettent aussitôt en route avec les deux jeunes. À l'entrée du sentier, Jack gare le camion et tout le groupe descend pour continuer à pied.

À proximité du nid, ils entendent les cris de détresse des aiglons qui ont faim.

– Montons vite, dit Mme Baker.

Jack et elle enfilent d'abord des crampons — du type que portent les réparateurs de lignes téléphoniques — puis des ceintures accrochées à de longues cordes qui font le tour du tronc de l'arbre. Ils mettent beaucoup de temps à monter mais le plus difficile reste à venir : il faut ceinturer la paroi du nid par en-dessous et grimper à l'intérieur pendant que les aiglons, terrifiés, battent des ailes et poussent des cris.

Sans bien voir comment ils s'y prennent, Katie et Justin regardent les experts mettre un aiglon récalcitrant dans un sac de tissu et le faire glisser jusqu'au sol au moyen d'une longue corde. Arrivé en bas, l'oiseau, dans son sac obscur, s'est déjà apaisé.

Jack et Mme Baker récupèrent de la même façon le deuxième aiglon.

– Nous avons eu de la chance, dit Mme Baker en redescendant. Ils ont un peu plus de huit semaines. Si la faim ne les avait pas affaiblis, ils auraient pu sauter en bas du nid. Leurs pennes d'envol ont commencé à pousser.

– Où allez-vous les emmener ?

– D'abord on va les mettre dans les caisses de transport qui sont à l'arrière du camion.

Mme Baker soulève l'un des sacs avec délicatesse et s'engage dans le sentier.

– Je vais examiner les aiglons et leur donner de l'eau. Ensuite, je crois que je sais où je vais les élever.

– Où ? demande Katie, juste derrière la biologiste.

Jack, qui transporte l'autre aiglon, ferme la marche avec Justin.

– J'aimerais les garder dans la région. Ce devrait être un milieu idéal pour les aigles à tête blanche, tu sais. Ils ont tout l'espace et toute la nourriture qu'il leur faut ici, mais, je ne sais pas pourquoi, l'espèce est en déclin depuis quelques années. On ne peut pas se permettre d'en perdre deux de plus.

– Qu'est-ce qui leur arrive ?

La biologiste hoche la tête.

– J'ai testé les polluants et les poisons qui pourraient leur nuire, mais je ne comprends toujours pas. Ça ne fait rien, fait-elle en s'arrêtant un moment, je possède quelques acres de terrain sur une rivière au nord de la ville et, grâce à mes enfants, j'ai là un site de nidification parfait.

Protégée par de longs gants épais, Tania Baker transfère maintenant les oiseaux dans les caisses. Enfin, Katie et Justin peuvent les voir de près.

Plutôt décharnés, les aiglons sont couverts de petites touffes de duvet gris à travers lequel on voit poindre le brun des plumes. Le sommet de leur tête est d'un blanc grisâtre, leur bec gris foncé et fort. Ils se tiennent sur leurs pattes, longues et puissantes. Mme Baker leur parle d'une voix douce pendant qu'elle les inspecte et les fait boire :

– N'ayez pas peur, mes petits amis, on va prendre bien soin de vous. Le plus important, ajoute-t-elle en se tournant vers Katie et Justin, c'est de les manipuler le moins possible. Il ne faut pas qu'ils s'habituent à la présence humaine et comptent là-dessus.

Sur le chemin du retour, Justin demande à Jack s'il a entendu parler d'un cougar qui rôde dans les environs.

– En fait, oui, nous avons reçu quelques plaintes ces derniers jours. Une femme a raconté que son chien n'arrêtait pas d'aboyer et qu'en ouvrant la porte pour voir ce qui se passait, elle a vu un cougar s'enfuir dans le bois bordant sa maison. Quelqu'un d'autre s'est plaint aussi qu'un cougar venait ravager son poulailler la nuit. Je recevrai sans doute beaucoup d'autres appels cette semaine.

– Ah bon?

– C'est toujours comme ça, continue Jack en haussant les épaules. Il suffit qu'une personne dise qu'elle a aperçu un cougar pour que les gens se mettent à en voir partout. Pour ma part, ça m'étonnerait qu'il y en ait dans les parages. Il y a tellement de gibier dans la forêt en cette saison qu'ils n'ont pas besoin de s'aventurer près des maisons.

– Connaissez-vous un homme que les gens appellent «le vieux Max»? demande Katie.

Les lèvres minces de Jack dessinent une drôle de ligne, comme s'il hésitait entre sourire et se renfrogner.

– Ici, tout le monde le connaît. C'est un vieux type, têtu comme une bourrique, qui n'a presque jamais quitté le coin. Mais pourquoi me demandes-tu ça?

– Il paraît qu'un cougar a tué son chien, répond Justin.

Katie n'a pas le temps d'intervenir. Elle veut donner un coup de coude à Justin dans les côtes mais il se protège avec le bras.

– C'est la première nouvelle que j'en ai, dit Jack. Mais c'est normal, je suis la dernière personne à qui Max en parlerait. Il se fiche bien des agents de conservation. N'empêche que si un cougar avait attrapé un de ses chiens, il prendrait sa carabine et irait le chasser lui-même.

– Un de *ses* chiens, dites-vous ?

– Oui. Max aime mieux les chiens que les gens. Il en a toujours au moins trois ou quatre.

L'agent stoppe le camion à l'entrée de l'allée des Taylor.

– Nous n'allons pas descendre parce qu'il faut installer les aigles pour la nuit, dit Mme Baker.

Elle tend sa carte à Katie.

– Voici mon adresse. Venez me rendre visite dans un jour ou deux si vous voulez voir leur nouveau logis.

– Chouette ! s'écrie Katie. Je suis presque sûre qu'on peut convaincre papa et maman de nous emmener. Merci beaucoup !

Katie et Justin descendent l'allée. En bas, ils s'arrêtent tout net.

– Encore lui !

– Mais qu'est-ce qui se passe ? Il prend nos parents pour ses meilleurs amis maintenant, ou quoi ?

Un camion tout-terrain à l'arrière noir est garé près de la fourgonnette familiale.

– Surtout, pas un mot sur les aigles, lance Katie à son frère en courant vers le chalet.

****

Les adultes sont, une fois de plus, assis en ligne sur la galerie, Sandra Taylor dans le fauteuil de rotin près des marches. Grande femme, elle se tient tellement droite qu'elle dépasse les deux hommes. Son expression, tandis qu'elle étudie le visiteur devenu familier, est indéchiffrable. Ben, lui, déborde sur toute la causeuse. Enfin, M. Taylor, au bout, a les mains croisées derrière la tête et l'air parfaitement détendu.

Ben se penche en avant en grognant; il se sert une autre tasse de café, de la crème, et une, deux, trois, quatre cuillerées de sucre. Puis il remue son café, clink, clink, clink, en avale une grande gorgée, dépose sa tasse et s'appuie sur le dossier du fauteuil, qui craque sous le poids. Tenant deux muffins aux bananes dans son énorme poing, il pousse un soupir de satisfaction.

– Tiens, vous voilà déjà! s'exclame Mme Taylor en voyant arriver les enfants.

Elle semble soulagée d'avoir de la distraction.

Katie et Justin ne répondent pas.

– Ça s'est bien passé ?

– Mm... oui, répond Katie, les yeux rivés sur les vieilles planches de la galerie.

– Avez-vous...

Soudain, Mme Taylor comprend que les enfants n'ont pas envie de parler.

– Avez-vous terminé... vos affaires ?

– Oui. J'ai faim, je pense que je vais...

– Alors les jeunes, qu'est-ce que vous avez fait de bon aujourd'hui ? interroge Ben, la bouche pleine de muffin.

Voyant les regards braqués sur lui, il avale sa bouchée et rapproche ses gros sourcils en prenant un air inquiet.

– J'veux dire... Vous avez pas oublié c'que je vous ai dit à propos du cougar, j'espère. J'voudrais pas qu'y vous arrive un malheur.

– Ils sont allés au secours de deux aiglons, annonce fièrement M. Taylor.

– Ah oui ? (Ben se lèche les lèvres.) C'est intéressant, ça !

– Bon, je vais me chercher à manger, se dépêche de dire Katie en se précipitant dans le chalet.

– Moi aussi, dit Justin.

Ils sont installés dans la cuisine devant des sandwichs fromage-laitue-tomate quand leur père met le nez dans la porte.

– Venez voir ce que Ben nous a apporté, dit-il en disparaissant aussitôt.

Katie hausse les sourcils, Justin croque à pleines dents dans son pain. Tous deux sortent dehors avec le reste de leur sandwich.

Une odeur âcre flotte dans l'air. Sur la galerie, Mme Taylor essuie les miettes sur la causeuse pendant qu'en bas des marches, Ben et leur père attendent, la tête auréolée d'un nuage de fumée.

– Par ici, dit M. Taylor en se dirigeant vers le stationnement.

Ben retire la pipe de sa bouche et suit son hôte sur la pente herbeuse. Katie et Justin échangent un regard avant de leur emboîter le pas.

Quand Ben l'ouvre, la portière arrière de la camionnette émet un grincement aigu. Katie aperçoit la bassine bleue et le sac à ordures avec la bosse au milieu, comme l'avant-veille. Ben balaie de la main un peu de bran de scie, ouvre le sac et sort un poisson: une truite de belle taille au dos moucheté, le dessous argenté.

– Quatre livres! proclame-t-il.

Il la tient à bout de bras, déloge quelques fragments de glace.

– J'en ai attrapé deux à un endroit secret que j'connais vers le haut d'la rivière. J'ai pensé à vous autres tout d'suite.

Il tend le poisson à Katie, qui est obligée de mettre son sandwich dans sa bouche pour le prendre. Froid et glissant comme il est, il faut le tenir à deux mains, sinon il tombera à terre.

– Comment l'avez-vous pris? demande Justin.

– Bonne question, j'allais justement te le dire!

Ben allonge le bras et décroche une canne à pêche du plafond, près de la fenêtre latérale.

– Avec ma bonne vieille canne à mouche. Je m'en sépare jamais. Vous laissez pendre une jolie mouche comme ça au bout d'leur nez, ils sautent dessus!

Katie se trouve l'air idiot, la bouche pleine, un poisson mouillé dans les mains.

Quand Ben range la canne, elle a envie de bondir vers la vitre latérale. Peut-on, de là, apercevoir la canne à pêche? Aurait-elle pu la remarquer l'autre jour? Et d'où vient le bran de scie ? Est-ce que Ben viendrait juste, par hasard, d'installer le support de la canne sur le cadre de bois ? Impossible à prouver maintenant...

– Eh ben, salut les amis, dit enfin le visiteur. Bon appétit !

Il ferme la portière, s'approche de celle du conducteur, se retourne.

– Et pis les enfants, faites attention au cougar, oubliez pas. Il paraît qu'il a manqué d'emporter un petit garçon hier. Moi (il fait un signe de tête en direction de la cabine où l'arme est visible dans son support), j'irais pas dans l'bois sans mon fusil.

– Mille mercis, dit M. Taylor en appuyant une main protectrice sur l'épaule de Justin et de Katie, nous serons très prudents dorénavant.

Chapitre 5

Les appâts de Max

Le lendemain matin, M. Taylor tient parole.

– Pas aujourd'hui, décrète-t-il.

Assis sur la galerie, il fait la moue en regardant la pile de papiers qui l'attend. Professeur de français au collège Malaspina de Martinville, il a rapporté les copies d'examens de fin d'année de ses élèves et s'apprête à les corriger.

Mme Taylor est partie en chaloupe tôt, emportant appareil-photo, jumelles et cahier de dessin. On lui a commandé des illustrations pour un calendrier nature et elle doit les livrer très bientôt.

– Pourquoi pas aujourd'hui ? fait Justin en geignant.

Katie lui lance un regard furieux. Ce n'est pas en gémissant qu'ils feront céder leur père !

– Il n'y a pas de cougar enragé dans le bois, explique-t-elle calmement. Jack Robertson nous l'a dit et si quelqu'un doit le savoir, c'est lui. Je pense que Ben essaye de nous faire peur.

– Et pourquoi le ferait-il, je te prie ?

– Pour ne pas qu'on le surprenne à tirer sur des aigles.

Elle se mord la lèvre. Encore une fois elle a trop parlé !

Son père ajuste ses lunettes. Sa bouche fait un pli courroucé.

– Ben n'était pas dans le bois l'autre jour, Katie, il était à la pêche. Il te l'a dit. Et maintenant que tu as vu où il range sa canne à pêche, tu ne peux plus dire qu'il n'en avait pas.

– Ça l'arrange bien comme ça, n'est-ce pas ? rétorque Katie.

– Il voulait nous donner un poisson. Il est gentil, un peu rustaud peut-être, mais gentil. Fais-moi plaisir, arrête de te méfier de lui comme ça. D'ailleurs, veux-tu me dire pourquoi il s'amuserait à tuer des aigles ?

Voilà ce qui trouble Katie le plus. Ça n'a aucun sens de tuer un aigle. Elle fixe le plancher.

– Je ne sais pas.

– Alors, ne t'occupe plus de ça. Tu as une petite agence de détective, c'est très bien, mais ce n'est pas une raison pour voir des mystères partout.

Katie serre les dents.

– Je sais.

– Je répète, vous n'allez pas dans la forêt aujourd'hui. Si quelqu'un se promène avec un fusil, c'est probablement le vieux Max. Et Jack t'a bien dit que Max poursuivrait le cougar qui lui a pris son chien.

****

Katie et Justin préparent leur lunch et descendent sur la grève avec leurs cannes à pêche, des appâts, les avirons et les gilets de sauvetage. Ils tirent le canot à l'eau, embarquent et prennent la direction sud en longeant la rive.

Le canot fend l'eau claire sans le moindre bruit. Seuls les petits clapotis des avirons trahissent son passage. Sapins et cèdres se reflètent en vert sombre dans l'eau sous les rayons vifs du soleil. Un martin-pêcheur bavard décolle d'une longue branche plongeante et pique droit dans l'eau avec un gros « plop ! ». Une seconde après, il retourne à son perchoir.

– Allons à la rivière, suggère Justin.

– D'accord, ce devrait être un bon endroit pour pêcher.

Ils pagayent fort, pour le simple plaisir de voir à quelle vitesse ils sont capables d'aller, et rasent la crête des eaux, le soleil se réfléchissant dans leurs lunettes protectrices. Lorsqu'ils ont les bras fatigués, ils changent de côté. Quand apparaissent enfin les eaux brillantes de la rivière, Katie a mal partout. Décidément, le siège est dur.

– Accostons ici, dit-elle à Justin qui ne demande pas mieux que de s'arrêter lui aussi.

La rive forme une bande étroite et caillouteuse bordée de buissons épais. Katie et Justin descendent du canot et font quelques pas en remontant la rivière. Ils attachent à leur ligne des poissons plats en métal coloré brillant et les lancent dans les eaux rapides, là où la rivière se jette dans le lac. Ils laissent les appâts s'enfoncer un moment, les retirent lentement, puis recommencent.

Au bout d'une demi-heure infructueuse, Justin annonce en ramenant sa ligne une dernière fois qu'il va changer de site. Il repart vers le canot.

Katie décide, elle, de rester où elle est et y va d'un autre beau lancer: le fil de nylon se dévide, le poisson plat tombe dans l'eau. Elle s'apprête à rembobiner sa ligne quand un bruit, dans son dos, la fait pivoter sur les talons.

Les buissons s'entrechoquent. Katie voit leurs extrémités bouger dans sa direction. Quelque chose s'en vient droit sur elle... va émerger des fourrés...

Son coeur s'arrête. Elle fige. «Un ours! se dit-elle, ce ne peut être qu'un ours!»

– Justin!! À l'aide!! hurle-t-elle en ramassant une grosse pierre.

Quand elle se redresse, les buissons se sont écartés. Un gros animal, roux, fonce vers elle. Roux! Pas brun, donc pas un ours... «Le cougar!!» pense-t-elle, et un frisson lui traverse l'échine.

Instinctivement, elle lève les deux bras, la pierre dans une main, la canne à pêche dans l'autre. Trop tard. La bête est sur elle. Katie écarquille les yeux de surprise. L'animal se met debout, appuie ses énormes pattes sur ses épaules, la pousse, manquant de la renverser. Katie reprend appui sur une jambe, laisse tomber la canne à pêche. Puis, riant presque de soulagement, elle se débat avec le mastodonte qui lui lèche le visage de sa grosse langue chaude et mouillée.

Justin accourt en criant et en agitant sa canne à pêche.

– Va-t'en ! Laisse-la tranquille !

L'animal tourne sa grosse tête vers Justin, retombe sur ses pattes et se met à aboyer.

Katie accourt auprès de son frère.

– Reste calme et baisse ta canne. Ce n'est qu'un vieux gros toutou qui veut jouer.

Justin est tout pâle. Avec sa canne à pêche qu'il serre des deux mains, il veut tenir le chien en respect. La tête de l'animal lui va à l'épaule, grosse comme celle d'un saint-bernard.

– T'es pas folle ? réussit-il à prononcer. Il va me manger !

Le chien s'arrête d'aboyer et s'assoit, la langue pendante, la tête inclinée sur le côté.

– Il ne te mangera pas. Il pense que c'est un bâton et il attend que tu le lui lances pour jouer. Regarde comme il remue la queue !

– Wellington ! appelle une grosse voix. Viens ici !

Le chien fait demi-tour de son pas pesant pendant qu'un homme s'avance sur la rive. Derrière l'homme trottinent deux autres chiens presque aussi gros que le premier.

L'inconnu est très grand et très maigre. Sous sa chemise à carreaux rouges et noirs, on devine des épaules voûtées. Il tient à la main une canne à pêche longue et fine. Des mèches de cheveux blancs recouvrent ses oreilles mais le sommet de son crâne est complètement chauve. Son visage basané est ridé comme une noix de grenoble et ses yeux bleu clair se plissent comme s'il avait oublié de porter ses lunettes.

– Qu'est-ce que vous faites là, les enfants? dit-il d'une voix forte en se frayant un chemin entre les rochers épars en bordure de l'eau.

– Rien, dit Katie. On pêche.

Elle ramasse sa canne à pêche et commence à ramener sa ligne.

– Comment que ça se fait que vous êtes pas à l'école?

– Les profs ont été obligés de prendre congé, explique Justin, parce que la commission scolaire n'avait plus d'argent pour les payer.

– C'est pas ben grave, fait l'homme. Les professeurs, ça donne rien pantoute.

– Ça c'est bien vrai, dit Justin en souriant, ce qui fait glousser l'inconnu.

À deux mètres des enfants, il s'arrête, met sa main en visière sur ses yeux.

– Alors ?

– Alors quoi ? réplique Katie en retirant son poisson plat de l'eau.

– Ça mord ?

Les deux jeunes secouent la tête.

– Pas étonnant, dit l'homme en voyant l'appât jaune brillant qui pend au bout de la ligne de Katie. Ces nouveaux machins sophistiqués, c'est pas bon pantoute. J'm'en vas vous montrer, moi, comment on attrape un poisson.

De sa poche il tire une petite boîte de métal qu'il ouvre avec précaution. À l'intérieur se trouvent une demi-douzaine de « mouches » ingénieusement bricolées avec des petites plumes et du fil.

– Où avez-vous pris les plumes ? demande Katie.

– J'les collectionne. J'en ai de toutes les sortes.

– De toutes les tailles aussi ?

– Ouais. Des oiseaux-mouches jusqu'aux aig'. Les plumes d'aig', ça vaut rien pour faire des mouches, mais j'les trouve belles. Y a du

monde qui les collectionne pour faire des décorations. Y paraît qu'les Indiens s'en servent dans leurs cérémonies. Ça vaut cher si tu sais où les vendre.

Katie et Justin échangent un regard.

– Alors vous vous appelez comment, les enfants ?

– Moi, c'est Katie. Lui, c'est mon frère, Justin.

– Enchanté. Moi j'm'appelle Max.

– Le vieux Max ! s'écrie Justin. Celui qui s'est fait manger son chien par un cougar !

Max fronce les sourcils et regarde Justin comme s'il avait perdu la tête.

– Qu'est-ce que tu m'racontes là ?

Il tourne la tête vers ses chiens qui batifolent au bord de l'eau, sautant les uns sur les autres, s'attrapant la peau du cou entre leurs énormes mâchoires.

– Ces chiens-là ? Ils sont tous des frères. Est-ce que tu as vu leur gueule ? Tu penses qu'un cougar serait assez fou pour s'en approcher ?

– Mais Ben a dit...

– Ben !

Max tourne brusquement la tête vers Justin. Sa main noueuse fait le geste de repousser quelque chose de malfaisant.

– Y faut pas croire un mot que dit c'te vieille crapule. Il vous a dit qu'y a un cougar ici qui court après les chiens ?

Justin ouvre la bouche, mais sa voix reste prise dans sa gorge. C'est tout juste s'il réussit à hocher la tête.

– Eh ben, dit Max en se grattant le menton, vous pouvez être certains qu'il trafique queq' chose. À vot' place, j'me tiendrais loin d'un type comme lui.

Il secoue la tête, hausse les épaules comme pour ne plus penser à Ben. Puis, de ses gros doigts maladroits, il sort une mouche de sa boîte.

– Maintenant, on va pêcher, dit-il en se retournant.

C'est alors que Katie remarque ses pieds. Ils sont très grands. Au bout des grandes jambes maigres, ils ont même l'air immenses — des pieds d'ogre. Katie enregistre : bottes de randonnée brun clair, jeans. Prenant sa canne à pêche, elle rattrape le vieil homme quelques mètres plus loin et jette un nouveau coup d'oeil sur ses bottes : les lacets sont rouges et noirs, croisés autour d'oeillets noirs.

****

En vingt minutes, Katie et Justin ont tous les deux attrapé une petite truite. Max en est à sa troisième, mais comme « c'est pas la peine d'en garder plus que pour un repas », il en laisse filer deux.

– C'est moi qui ai la plus grosse! clame Justin en comparant sa truite à celle de Katie.

Sa soeur n'a pas le temps de répondre que Max les a rejoints.

– En avez-vous déjà fait cuire sur un feu de camp?

– Non, fait Justin.

Max grommelle.

– On peut pas allumer de feu ici, les jeunes blancs-becs vont penser qu'y a un feu de forêt, pis ils vont nous vider un plein avion-citerne d'eau sur la tête. Venez-vous-en chez moi. Ils vont jamais oser arroser mon terrain.

Katie jette un coup d'oeil à Justin. Elle n'est pas rassurée. Sous ses airs bourrus, Max est plutôt gentil, c'est vrai, mais elle ne veut pas prendre de risques. Après tout, il porte des bottes suspectes et collectionne des plumes.

Justin ramasse ses affaires et suit Max sans regarder sa soeur. Derrière, Katie considère la scène un moment: Justin, tout petit à côté de son grand compagnon, les chiens qui les précèdent en gambadant. Max vit ici depuis toujours. Tout le monde semble le connaître ; même sa mère à elle l'a rencontré. Il y a vraiment peu de chances qu'il soit un assassin ou un kidnappeur.

De toute façon, elle ne peut pas laisser Justin partir seul avec Max. Katie prend son lunch, son poisson et se hâte vers le petit sentier qui longe la rivière.

– N'entre pas dans sa maison, dit-elle à Justin dès qu'elle l'a rejoint.

Max a pris les devants pour rappeler ses chiens ; on les entend foncer dans les bosquets à la poursuite d'un écureuil.

– Pourquoi pas ? demande Justin.

– On ne le connaît pas, on ne sait rien de lui. On n'entre pas comme ça chez un inconnu.

– Ce n'est pas pareil ici, on n'est pas en ville.

– Il vaut mieux faire attention quand même. As-tu vu ses bottes ?

– Non. Qu'est-ce qu'elles ont ?

– L'homme qui est entré dans les buissons, l'autre jour dans la forêt, portait des bottes énormes, des vraies bottes de monstre, t'en souviens-tu ? Eh bien, Max aussi. Les siennes sont exactement pareilles.

Justin veut répliquer mais Katie ne lui en donne pas le temps.

– Et tu te rappelles le bruit qu'on a entendu dans la broussaille après le deuxième coup de feu? Je crois que c'était un aigle qui tombait du ciel. Max était peut-être en train de le chercher. Il collectionne les plumes après tout!

– C'est pas vrai! s'écrie Justin en se donnant une tape dans le front. C'est Max que tu soupçonnes maintenant?

Katie lève haut le menton.

– Je soupçonnerai tout le monde tant que je n'aurai pas découvert la vérité.

– La grande détective repart en chasse! fait Justin en roulant les yeux.

Katie décide de ne pas relever la remarque.

– Tu me promets de ne pas approcher de la maison, en tout cas?

– Euh... d'accord... rien que pour te faire plaisir.

Justin fait quelques pas sans parler, puis demande:

– Dis donc, qu'est-ce que c'est, une crapule?

– Une crapule, répond Katie sur un ton savant, c'est une sorte de serpent venimeux.

****

Quelques minutes plus tard, ils débouchent dans une clairière qui surplombe de peu la rivière. Quatre marches taillées proprement dans la berge mènent à une petite plage de sable après laquelle courent les eaux vives. À quelques pas des enfants, Max est penché sur un petit feu qu'il nourrit de brindilles de bois. Les trois chiens sont étendus paresseusement autour de lui.

Plus loin, en haut d'une pente raide, se dresse une cabane en rondins. Les deux fenêtres sombres qui flanquent la porte font penser à de gros yeux menaçants. Comme chez les Taylor, une grande galerie couverte borde l'avant de la maison. Ici, cependant, pas de meubles de rotin. Seulement une pile de bois de chauffage fendu et cordé avec soin.

– Vous êtes donc lambineux, dit Max.

Il met deux bouts de bois dans le feu, ramasse son poisson, une vieille casserole noircie, et se lève avec un grognement.

– Descendez avec moi sur la plage, j'm'en vas vous montrer comment vider vot' poisson.

Au bord de l'eau, Max se penche sur le courant et remplit la casserole. Puis il aide les enfants à nettoyer leur poisson. Ils n'ont même pas fini que déjà deux mouettes s'amènent, réclamant impatiemment les entrailles. L'une d'elles touche presque la botte de Max et pousse des cris à vous percer les tympans.

– Toi, décampe ou je t'éplume! gronde le vieux.

Katie regarde Justin. Celui-ci lève les yeux au ciel.

Au bout de deux minutes, Max remonte les marches vers son feu. En se penchant pour déposer la casserole au-dessus des flammes, il tousse. D'un geste expert, il enfile chaque poisson sur un bâton et le met à cuire doucement au bord du feu. Puis, sans un mot, il se tourne et s'engage dans la pente qui mène chez lui, ses trois chiens sur les talons. Rendu sur la galerie, il tousse encore.

Katie se penche vers Justin.

– Il tousse, chuchote-t-elle.

– Tu me dis pas... Quelle nouvelle!

– Je gage qu'il fume.

– Katie, tu dérailles. Est-ce qu'on l'a vu fumer? Non! Est-ce qu'il pue comme un fumeur? Non! Il doit avoir un rhume, c'est tout.

Max redescend maintenant, trois tasses dans la main droite. Les doigts de son autre main entourent un petit objet.

– Ah, il tient une cigarette, murmure Katie derrière Justin.

Justin ne peut rien dire, Max est déjà là. Le vieil homme s'assoit en toussant sur le banc, dépose les tasses mais n'ouvre pas la main gauche.

– Est-ce que vous fumez ? lui demande Katie à brûle-pourpoint.

Max tousse encore, secoue la tête.

– J'fumais dans l'temps, j'ai été obligé d'arrêter. J'perdais le souffle quand j'allais à la chasse. Je le perds encore des fois, ajoute-t-il en se frappant la poitrine de ses poings.

Il se penche vers la casserole.

– Bon, ça m'a l'air de bouillir.

Allongeant son grand bras gauche, il ouvre les doigts et laisse tomber deux sachets de thé dans l'eau.

Justin fait semblant de tousser mais Katie refuse de le regarder.

****

Pendant que le poisson cuit, Katie partage son lunch en trois — Justin a laissé le sien dans le canot! Enfin, les voilà installés avec leurs tasses de thé et la meilleure truite que Katie et Justin aient jamais mangée.

Une bernache grimpe sur la grève. Battant des ailes, elle se dandine jusqu'aux marches, en gravit quelques-unes en sautillant, puis s'arrête et se met à jacasser.

– Viens-t'en, dit Max d'une voix douce. Y a pas de danger, personne va te faire mal.

Il plonge la main dans sa poche et jette une poignée de grain à la bernache qui s'avance.

– Ça c'est Mathilda, dit Max. J'l'ai trouvée l'année dernière, l'aile cassée. Sûr qu'elle s'est fait tirer dessus. Ça manque jamais, chaque année les petits fous arrivent pis se mettent à tirer sur tout c'qui bouge. C'est drôle, quand même, c'était pas la saison de la chasse quand j'ai trouvé Mathilda.

Il s'arrête, l'air furieux, puis reprend:

– Ça fait que j'ai essayé de la racc'moder, mais elle a jamais pu apprendre à voler comme du monde. J'la garde depuis ce temps-là.

– En avez-vous d'autres, des animaux? demande Katie.

– Dans l'temps, j'en avais des tas. Des petits orphelins, des bêtes blessées. Tout ce qui m'reste, c'est une loutre. Elle a perdu ses parents quand elle était bébé, alors j'l'ai soignée, j'l'ai élevée, je lui ai même montré à pêcher. Elle continue à venir faire son tour de temps en temps. Un de ces bons jours, j'la reverrai plus.

– Vous avez recueilli toutes sortes d'animaux sauvages alors ?

– J'peux pas les laisser mourir comme ça, ça serait pas correct. Mais allez surtout pas dire ça à l'agent de conservation ! Il pourrait aussi ben me coller une amende pour possession d'animaux sauvages. L'imbécile !

Chapitre 6

Encore des bottes brunes !

– J'espère qu'il ne pleuvra pas, dit Kevin Taylor en consultant le ciel, où des nuages sombres s'accrochent aux cimes des cèdres et des grands sapins.

La fourgonnette a quitté la grand-route et s'engage dans une longue allée, étroite et sinueuse. Au bout apparaît une maison basse, de style ranch, avec une immense terrasse et des fenêtres donnant sur une verte et grasse prairie. Une femelle chevreuil y broute tranquillement, ses deux faons à proximité. Leurs grandes oreilles se dressent de chaque côté de leur tête quand passe la fourgonnette. La mère s'éloigne mais les petits hésitent un moment avant d'aller la rejoindre. Puis ils se mettent à bondir comme sur des ressorts.

– Ça me fait plaisir de vous voir, dit Mme Baker qui accueille ses visiteurs avec un chaleureux sourire. Je m'apprêtais justement à aller voir comment se portent les aiglons.

Katie a soudain la sensation que les yeux vont lui sortir de la tête. Elle regarde les pieds de Mme Baker, puis son visage.

– Vous ne portiez pas ces bottes-là l'autre jour, bégaye-t-elle.

– Non. Celles-ci sont neuves. J'essaie de les assouplir en les portant les jours où je ne fais pas de longues marches.

La biologiste fronce les sourcils. Elle trouve manifestement la remarque de Katie un peu bizarre.

Celle-ci enroule une mèche sur son oreille et porte de nouveau son attention sur les bottes: ce sont des bottes de randonnée brun clair, avec des lacets rouges et noirs qui se croisent devant et des oeillets noirs. Exactement comme celles qu'elle a vues dans le bois, mais beaucoup plus petites. Mais sont-elles vraiment plus petites? Peut-être que les autres lui ont semblé énormes parce qu'elles étaient toutes proches et qu'elle avait si peur. Elle se souvient aussi de la toux. Mme Baker tousserait-elle comme ça ? Sans doute pas. Et rien n'indique non plus qu'elle fume la pipe.

– Euh... fait-elle en se rendant compte que Mme Baker la regarde d'une manière étrange, euh... elles ont l'air confortables.

Mme Baker hoche la tête et s'éloigne. Katie la suit des yeux. Elle va devoir noter ce nouvel élément de preuve dans son *Cahier d'enquêtes* ; tout doit être consigné, même ce qui ne semble pas important sur le coup. Difficile de croire que Mme Baker puisse être coupable... Après tout, c'est elle qui est venue au secours des aiglons. Mais on ne sait jamais. Rien n'est sûr tant que le mystère n'est pas éclairci.

– Katie ! Katie, t'en viens-tu ?

Katie sort de sa réflexion et voit Mme Baker disparaître entre les arbres, suivie de près par Justin et leur père. Mme Taylor, elle, l'attend, les mains sur les hanches.

– J'arrive !

****

– Quand mes enfants étaient petits, explique Mme Baker durant le trajet, ils se sont construit une cabane dans un arbre. Une cabane extraordinaire. Depuis qu'il est tout petit, Richard veut voir le monde d'en haut. Il est devenu pilote d'ailleurs. Anne aussi aimait grimper aux arbres, mais n'est pas devenue pilote; elle fait des études en gestion de la faune. Toujours est-il que leur père les a aidés à construire une cabane au sommet du plus haut sapin de la plus haute colline que nous ayons sur la propriété. Je mourais de peur quand ils montaient là-haut!

La biologiste en frissonne encore.

– Enfin, poursuit-elle, la cabane est encore solide. J'ai fait venir un menuisier pour la réaménager... Tenez, la voilà, dit-elle en pointant le doigt vers une trouée dans le feuillage.

Les Taylor aperçoivent alors une grande plate-forme au-dessus du V formé par le tronc et une grosse branche du sapin. Sur la plate-forme, il y a un nichoir fait de poteaux verticaux dressés tous les quelques pouces.

– Nous avons fabriqué le nid avec des branchages de cèdre, explique Mme Baker. Et sur le dessus nous avons mis un grillage métallique et d'autres branches pour abriter les aiglons du soleil et de la pluie.

– Il a l'air énorme! s'écrie M. Taylor, ébahi.

– Environ deux mètres dans chaque direction, ce qui est bien suffisant. À l'avant il y a des perchoirs pour le jour où ils seront prêts à voler.

– Peut-on voir les aiglons de près ? demande Katie.

– Absolument. C'est la plus belle partie de l'histoire. Mon menuisier a construit une porte d'accès en arrière et a installé un miroir à deux faces qui permet d'observer les oiseaux sans être vu.

Mme Baker monte la première pour voir comment vont les aiglons et jeter du poisson dans le nid. Puis c'est le tour de Katie. Elle grimpe dans l'échelle, jette un coup d'oeil à l'intérieur. Les jeunes oiseaux sont occupés à déchiqueter le poisson, qu'ils avalent par gros morceaux. La femelle ne cesse de repousser le mâle, plus petit qu'elle, mais ce dernier ne se laisse pas faire. Il est bien déterminé à avoir sa part de nourriture. D'ailleurs il y en a bien assez pour les deux.

– Je suis très contente, ils se sont bien adaptés, dit Mme Baker une fois Katie redescendue. Ce sera bientôt fascinant de les voir apprendre à voler.

– Dans combien de temps, pensez-vous ? demande Mme Taylor en allongeant le cou pour regarder Justin gravir la longue échelle à son tour.

Elle se retient de crier à son fils d'être prudent, sachant que rien ne le ralentira. Justin a beau être distrait, il n'est pas maladroit, Dieu merci. Le visage de Mme Taylor se détend pourtant quand il atteint enfin la plate-forme. Elle se tourne vers Mme Baker.

– Dans quatre ou cinq semaines, je dirais. Aimeriez-vous revenir et les voir prendre leur premier envol ?

– On adorerait ça ! s'écrie Katie en regardant ses parents.

Tous deux font oui de la tête.

****

Les premières grosses gouttes de pluie se mettent à tomber juste au moment où les quatre remontent dans la fourgonnette. Quand ils arrivent dans la petite ville, l'eau ruisselle sur le véhicule, giclant des pneus comme un sillage de hors-bord. Les nuages bas masquent les collines des environs et pèsent sur les mornes bâtiments de bois.

Un quai s'allonge en pointe dans la mer grise. Les bateaux de pêche amarrés en file se perdent dans l'horizon mouillé, leurs coques comme des fantômes dans la pluie et le brouillard.

– J'ai faim, dit Justin. J'ai envie d'un hamburger.

– On mange toujours des hamburgers, rétorque Katie, j'aimerais mieux une pizza.

Le choix est limité, il faut dire. Pas de MacDonald ni de Pizza Hut en vue. La famille se retrouve donc dans un petit restaurant où chacun peut commander ce qui lui plaît. Après le repas, Mme Taylor part faire son marché et s'acheter du matériel de peinture, pendant que M. Taylor va voir Jack Robertson.

Quittant le bord de l'eau, Katie et Justin montent la pente raide de la rue principale pour faire un peu de lèche-vitrine. En arrivant sous un grand auvent vert et blanc, ils s'arrêtent pour se mettre à l'abri de la pluie et remarquent une annonce dans la vitrine: SOLDE GÉANT DE FERMETURE!!! Katie met le nez dans la vitre et gémit.

– Regarde-moi ça, dit-elle en désignant des rangées et des rangées de bottes de randonnée brunes, toutes avec des lacets rouges et noirs et des oeillets noirs.

Une affiche, qui se balance au-dessus des bottes dans un courant d'air, proclame: «75 % de réduction».

– On devrait s'en acheter, dit Justin. On serait à la mode!

****

En revenant à la maison, M. Taylor raconte son entrevue avec l'agent de conservation.

– Jack dit qu'il a fait des vérifications. Il pense que les histoires de cougar sont de la pure invention. Le pilleur de poulailler est un raton laveur et quelque part ailleurs, les gens ont pris un gros chien pour un cougar.

– J'en étais sûre, dit Katie.

– Jack ignore d'où la rumeur est partie.

– Je pourrais le lui dire, moi.

– Tu ne le sais pas non plus, dit M. Taylor. Ben a probablement entendu quelqu'un d'autre raconter l'histoire et a cru bon de nous mettre en garde.

– Probablement, acquiesce Katie qui, dans le fond, n'en croit pas un mot.

– Jack a mentionné quelque chose d'autre d'intéressant.

Tous attendent la suite mais Kevin Taylor se concentre sur la route, penché vers le pare-brise ruisselant de pluie malgré le raclement des essuie-glace. Un camion rempli de billots géants apparaît soudain dans un virage et croise à fond de train la fourgonnette, les roues du premier à la hauteur du toit de l'autre. La fourgonnette frémit. De grands paquets de boue s'abattent sur les vitres, les couvrant d'une couche quasiment opaque. Et puis, petit à petit, la pluie et les essuie-glace en viennent à bout.

La famille est presque arrivée à la maison quand Katie demande :

– Alors, qu'est-ce que Jack a dit d'intéressant ?

– Ah oui ! D'après lui, rien ne prouve que les parents aigles sont morts d'une balle, mais le nombre d'aigles à tête blanche diminue tellement depuis quelque temps qu'il est certain que quelqu'un les tue pour leurs plumes. Il pense même savoir qui.

Long silence.

– Pour leurs plumes ? répète Justin d'une voix blanche.

M. Taylor hoche la tête.

– Apparemment, il y a des gens qui paient très cher les plumes d'aigle, surtout aux États-Unis où il est interdit d'en posséder. Ils achètent aussi les pattes et les becs.

Katie est prise de nausée.

– Qu'est-ce qu'ils en font ? demande-t-elle, redoutant la réponse.

– Des objets décoratifs, des ornements. Ils prennent les serres pour faire des colliers, ou même un pied au complet pour fabriquer des cendriers.

– C'est dégoûtant, dit Justin. Comment peut-on être aussi salaud ?

– Je ne sais pas, dit leur père. Je ne sais vraiment pas.

****

Plus tard dans l'après-midi, l'horizon se dégage et le soleil se met à briller sur un monde ruisselant d'eau. Katie, assise sur la galerie, prend des notes dans son *Cahier d'enquêtes*. L'écho lointain d'un coup de fusil lui fait soudain lever la tête. Il vient de l'autre côté du lac, du haut des collines.

– Tu as entendu ? demande-t-elle à Justin.

Son frère est assis sur la dernière marche à côté d'un petit tas de plumes, en train d'essayer de nouer des mouches pour la pêche. Il hoche la tête.

– Un aigle, tu crois?

Une deuxième détonation sourde se fait entendre dans la montagne.

Chapitre 7

La collection de plumes

– Il faut prévenir Max, dit Katie le lendemain matin en s'engageant sur le grand chemin forestier avec son frère.

– De quoi ?

– Au sujet des plumes. S'ils découvrent qu'il collectionne des plumes, ils croiront que c'est lui qui tue les aigles.

– C'est peut-être lui.

– Comment peux-tu dire ça ? Moi qui croyais que tu l'aimais, Max !

– Oui, je l'aime bien, c'est un type super. Mais j'ai réfléchi et il faut bien admettre qu'il se fout des règlements. Il fait tout ce qui lui plaît. Et puis il aime chasser, il l'a dit lui-même.

– Tu crois qu'un homme qui soigne une bernache blessée et qui élève un bébé loutre tuerait un aigle juste pour ses plumes ?

– Pas pour ses plumes. Pour l'argent.

– Mais Max n'a pas besoin d'argent ! Il ne lui manque rien, il est parfaitement heureux comme il est. D'ailleurs, comme tu me l'as fait remarquer, il ne fume pas.

– Je sais, mais il fumait autrefois. Peut-être que ça lui arrive encore. Tu connais les fumeurs, il ne peuvent jamais s'arrêter.

Katie ne dit rien.

– Il grogne quand il se penche, tu n'as pas remarqué ? continue Justin. C'est parce qu'il a mal aux genoux, qu'il m'a dit.

Katie ne dit toujours rien. Debout au milieu de la route, elle est incapable de parler. Idiote, ce qu'elle peut être idiote ! Depuis quand un détective omet-il la moitié des faits ? Elle n'aime pas Ben, alors elle veut qu'il soit coupable. Elle trouve Max gentil, alors elle va l'aider à cacher des pièces à conviction. S'arrachant l'appareil-photo du cou, elle le fixe comme s'il était son ennemi.

– Qu'est-ce qui te prend ? fait Justin qui la regarde par-dessus son épaule.

– Rien, sauf que comme détective je suis un gros zéro ! s'écrie Katie.

– Ça, j'aurais pu te le dire plus tôt, réplique son frère avec un sourire moqueur. Bon, tu abandonnes ou quoi ? Parce que si tu abandonnes, aussi bien me passer l'appareil-photo.

Impossible d'être en colère et de rire en même temps... Justin a l'air tellement content de lui que Katie ne peut s'empêcher de s'esclaffer.

– Es-tu fou ? Dans une semaine, tu l'aurais perdu !

Justin hausse les épaules.

– Peut-être bien, mais tu dois reconnaître que j'ai raison à propos de Max.

– Tu as raison, admet Katie de bon coeur. Mais il est plus que temps de découvrir la vérité dans cette affaire. Je ne serais pas étonnée que Jack vienne faire un tour ici aujourd'hui; d'autres gens ont dû entendre les deux coups de feu hier après-midi.

Parvenus à l'ancien chemin forestier qui longe la rivière, ils prennent à gauche vers chez Max et le lac, plutôt qu'à droite vers les collines.

– Il n'est sans doute pas chez lui, dit Katie. Regarde les traces de pneus.

Justin examine le sol boueux.

– Et de deux! s'écrie-t-il. Tu n'as pas vu le vieux camion tout-terrain chez Max? C'est une antiquité des années soixante, avec des pneus deux fois plus étroits que ceux-ci. Ça, ce sont des traces faites par un camion d'un modèle récent à pneus très larges.

Il se penche de nouveau sur le sol.

– Il a roulé dans une direction puis dans l'autre, et cela depuis la pluie d'hier.

– Excellent! Peut-être bien que je te laisserai travailler pour moi quand j'ouvrirai mon agence de détective.

– Elle est bonne celle-là, comme si tu pouvais te passer de moi! dit Justin.

Les deux jeunes poursuivent leur route. Dans la courbe suivante, ils s'arrêtent encore. Les traces de pneus vont sur l'accotement, où la boue est plus molle. L'empreinte est profonde et ses lignes entrecroisées forment un motif très distinctif.

– On dirait qu'il s'est arrêté ici, dit Katie. Il a changé de direction. Regarde, il a dû reculer.

– C'est la seule façon de faire demi-tour ici. Mais pourquoi ne s'est-il pas rendu jusque chez Max? Le chemin ne va nulle part ailleurs.

– Je ne sais pas, dit Katie en se baissant pour prendre une photo des traces. Ça me semble très suspect. Regarde ça ! s'écrie-t-elle un peu plus loin. De grosses empreintes de bottes !

Elle prend une autre photo.

– Je suis sûre que j'en ai vu de pareilles au bord de la rivière devant chez Max. Tu vois les petits carrés tout autour de la semelle ? les petites lignes ondulées à l'intérieur ? Très particulier...

– Peut-être mais ces bottes-là n'ont pas l'air d'être rares ici.

Les traces de pas sont moins visibles que celles des pneus. Elles ne paraissent que là où la terre est bien humide. N'empêche qu'avant d'avoir atteint l'allée qui descend chez Max, Justin et Katie en ont repéré qui vont dans les deux sens.

Ensemble, ils scrutent le sol tout le long de l'allée. À la limite d'une plaque de boue, ils croient distinguer une demi-empreinte de botte, mais comme il y a plus de gravier dans l'allée que dans le chemin, elle n'est pas nette.

– Tu vois ce que je veux dire ? fait Justin en s'approchant de la vieille camionnette carrée de Max.

Le véhicule brun clair, un peu poussiéreux, est parsemé d'aiguilles de pin. La grosse toile qui lui sert de toit est tout effilochée aux coins avant. Justin examine les pneus.

– Tu vois comme ils sont étroits ?

Katie s'accroupit à côté de lui. Justin a raison. Les empreintes qu'ils ont observées tout à l'heure n'ont pas pu être tracées par ces pneus-ci. Elle prend une photo, fait le tour de la camionnette, prend une autre photo.

Contournant la petite maison de Max, ils aperçoivent le vieil homme en contrebas près de la rivière, assis sur une bille de bois. Les coudes sur les genoux, il semble étudier les volutes de vapeur qui s'échappent de sa vieille casserole noire. Justin et Katie se figent sur place.

– Je n'en crois pas mes yeux, chuchote Katie.

– Ça alors...

Un chien se met à japper. Quand Max tourne la tête, deux grosses lettres blanches apparaissent sur le devant de sa casquette de baseball bleue : **F. F.**

– Les Fantastic Flyers, murmure Justin.

Max retire sa casquette et leur fait signe de descendre le rejoindre.

– Vous arrivez juste à temps pour prendre un thé avec moi, lance-t-il en lissant une mèche de cheveux blancs sur son front. Prenez-vous des tasses dans la cuisine en passant.

– Je t'attends ici, chuchote Justin qui reste dehors sur la galerie.

Katie sent son coeur palpiter en ouvrant la porte. Elle pénètre dans une pièce étonamment propre et claire. À droite, des tasses sont alignées sur des crochets sous une armoire. Pour les atteindre, elle doit faire le tour d'un gros poêle à bois dont le conduit noir perce le toit. Sur une table, près de la fenêtre, se trouve un joli vase en verre taillé, étincelant dans la lumière mouvante. Dans le vase, un bel arrangement, non pas de fleurs, mais de plumes... De l'extérieur vers l'intérieur sont disposées des petites plumes orangées et douces, des blanches plus longues et, au centre, plusieurs longues plumes très foncées. Katie jette un coup d'oeil rapide autour d'elle et s'approche pour toucher les plus longues. Se pourrait-il que ce soit des plumes d'aigle?

Quelque chose d'autre attire aussitôt son attention. Derrière la table, sur le bord de la fenêtre, elle aperçoit un gros cendrier avec, en travers, une pipe. Elle avance prudemment. Le cendrier est rempli de cendres qu'elle peut sentir à un mètre. Ouache.

Katie attrape deux tasses. En retournant vers la porte, elle lance un regard vers le salon. La maisonnette ressemble beaucoup à leur chalet; on a dû la construire dans les mêmes années. Contre le mur latéral s'étendent des étagères. Chez les Taylor, ces étagères sont couvertes de livres. Ici, elles sont remplies de pots, de tasses et de vases, tous pleins de plumes. Il y a des grandes plumes noires; des plumes brunes tachetées; des plumes ornées à leur extrémité de beaux cercles bleus qui ressemblent à des yeux; enfin, des plumes de duvet minuscules tassées dans de grands bocaux.

Katie se précipite dehors pour tout raconter à Justin.

– Max est peut-être vraiment fou, chuchote-t-il à sa soeur en descendant avec elle vers la rivière.

– Peut-être. Mais peut-être qu'il aime ramasser les plumes, tout simplement. Les gens collectionnent les choses les plus bizarres, tu sais. Même des bouchons de bouteille. Qu'est-ce qui peut bien pousser quelqu'un à collectionner les bouchons de bouteille, tu le sais, toi ?

– Alors, vous avez vu mes plumes ? fait Max avec un grand sourire. J'essaye de deviner de quelle sorte d'oiseau elles viennent.

– Avez-vous un livre sur les oiseaux ? demande Katie.

Max hésite à peine une seconde.

– Non, répond-il en regardant à terre.

– Il y a un beau vase sur la table, reprend Katie.

– Il est beau, hein ? dit Max en souriant. C'était le vase de ma mère, le seul souvenir qu'elle m'a laissé. Ça pis un livre où elle écrivait tout l'temps.

– Un journal ? Ça doit être intéressant !

Max évite son regard. Il se passe la langue sur les lèvres, mais juste comme il s'apprête à parler, Justin demande :

– Où avez-vous trouvé ma casquette ?

Il se penche pour la ramasser.

– C'est ta casquette ? dit Max d'un air étonné. J'savais pas. L'ai trouvée sur mon poteau de clôture ce matin, ça fait que j'l'ai fait sécher devant le feu. De toute façon, j'aime pas les chapeaux, rigole-t-il en frottant son crâne chauve. Ça m'dérange les cheveux!

– Mon nom est écrit dedans, vous voyez?

Justin lui montre l'étiquette. Max la regarde à peine.

– Pas remarqué, fait-il en allongeant le bras vers la casserole pour servir le thé.

****

Katie sirote son thé en silence. Il n'y a plus de temps à perdre. Il faut qu'elle découvre la vérité.

– Il a dû vous falloir beaucoup de temps pour collectionner toutes ces plumes, dit-elle.

– Et comment! Pas loin de soixante ans, j'dirais.

– Est-ce que Jack Robertson est au courant?

– C'te jeune blanc-bec! (Max secoue la tête et avale une gorgée de thé.) Avant qu'il soit né je ramassais déjà des plumes par terre, dans la fardoche pis dans les vieux nids. Viens pas me dire que c'est défendu ça aussi?

– Je ne crois pas, mais Jack voudrait bien savoir qui est-ce qui tue les aigles.

– Tuer un aig', j'peux pas imaginer. Pourquoi est-ce qu'il envoie pas quelqu'un surveiller les nids ?

– Je ne sais pas, répond Katie d'un air triste. Il doit manquer de personnel pour les surveiller tous.

– J'en connais un, moé, que personne va jamais trouver. À peu près huit kilomètres d'ici, pas mal loin du lac. Ben caché dans les arb'. Y a rien autour que du bois. Pas de chemin, pas de sentier, rien pantoute.

– Comment l'avez-vous trouvé ? demande Justin.

– Les aig' reviennent dans c'te nid-là depuis au moins vingt ans. Dans l'temps on pouvait l'voir de la vallée, mais depuis que les arb' ont repoussé sur le vieux site de coupe, on le voit pas.

– Vous êtes certain qu'il est encore là ?

Max fait signe que oui et se prend une autre gorgée de thé.

– Moi pis les chiens, on va faire not' tour chaque printemps. Le nid est encore là, il est même de plus en plus gros. Énorme j'vous dis ! C't'année, y a trois petits dedans. En tout cas, y en avait trois quand ils sont nés. J'vas vous dire comment vous y rendre mais vous avez besoin de ben écouter, il est pas facile à trouver !

Max regarde Katie et Justin tour à tour pour s'assurer qu'ils sont attentifs.

– D'abord vous faites huit kilomèt' sul' lac, pis vous attachez vot' bateau là où vous voyez un petit ruisseau couler sur un gros rocher qui a la forme d'un ours. Vous attachez vot' bateau pis...

Quand Max s'arrête, Katie et Justin le regardent, tout confus.

– Au gros arbre mort, on tourne à gauche et puis..., répète Justin.

– Pourriez-vous nous dessiner une carte et écrire tous les repères dessus ? demande Katie.

Max balaie sa suggestion du revers de la main.

– Les cartes, j'y crois pas. Si vous savez pas vous retrouver dans l'bois sans ça, vous devriez pas y aller.

– Mais...

L'espace d'une seconde, Katie regarde Max droit dans les yeux. Puis elle se mord la langue et détourne le regard.

Max se racle la gorge.

– Restez tranquilles, j'vas tout vous répéter. Mais tâchez d'écouter, c'est vot' dernière chance!

Les deux jeunes se concentrent très fort pour mémoriser le trajet. Katie voudrait bien demander un crayon et du papier, mais jamais elle n'oserait maintenant.

– Du côté est, y a une trouée dans les arb' par où on peut voir le nid. C'est une bonne place aussi pour planter une tente. Moi pis les chiens, on passe toujours la nuit là parce qu'y faut ben du temps pour se rendre.

– Merci, Max, dit Katie. On va demander à nos parents de nous laisser camper là un soir.

– Amenez-les avec vous aut', c'est encore mieux, dit Max.

Ils n'ont pas sitôt remonté l'allée que Katie commence à fouiller frénétiquement dans les poches de son blouson. Elle le porte sur son bras, la matinée étant devenue très chaude.

– Qu'est-ce que tu cherches? demande Justin.

– Un crayon! J'ai besoin d'un crayon!

– Pourquoi un crayon? L'école est finie!

– Triple idiot, les crayons servent ailleurs qu'à l'école ! J'ai besoin d'un crayon pour noter les indications de Max avant de les oublier.

– Je ne les oublierai pas, moi, assure Justin.

– Laisse-moi rire ! Tu oublies toujours tout !

Katie tire de sa poche une brioche enveloppée dans du papier ciré, un mouchoir, des tranches de tomate dans un sachet de plastique. Dans l'autre elle trouve une orange, des biscuits et une pièce d'un dollar.

– Dis donc, où est ton lunch à toi ?

– Ah ! je ne l'ai pas oublié, répond Justin, rayonnant. Je me souviens de l'avoir mis dans mes poches.

– Quelles poches ?

Justin roule les yeux.

– Celles de mon blouson, évidemment !

Il baisse la tête vers son t-shirt et son short, ajuste sa casquette. Son blouson qu'il adore, justement à cause des grandes poches qu'il bourre de tout et de rien tout l'été — son blouson n'est pas là.

– Je reviens tout de suite ! fait-il en tournant les talons.

Tandis qu'il redescend l'allée, Katie repère une grosse roche au bord du chemin et va s'asseoir. Même filtrés par le feuillage des arbres, les rayons du soleil lui chauffent la peau. Des branches et du sol humides montent des petits nuages de vapeur. Katie cale ses coudes sur ses genoux et tâche de réfléchir.

Comment pourrait-elle bien noter les indications de Max sans crayon? «Un crayon ne serait pas très utile de toute façon, songe-t-elle, je n'ai pas de papier. Sauf... du papier ciré. Mmm...» Katie sort la brioche de sa poche, la déballe et la remet dans sa poche. Puis elle étend le papier ciré sur sa cuisse.

Maintenant, avec quoi va-t-elle écrire? Elle cherche un objet pointu mais n'en trouve pas. La pièce de monnaie...? L'ayant dénichée au fond de sa poche, elle commence à dessiner le bord du lac au bas de la feuille. Résultat: de grandes bavures... Décidément, il lui faut quelque chose de pointu. Quelque chose comme une aiguille de pin. Elle jette un coup d'oeil à la ronde. Ici, près de la rivière, il pousse surtout des aulnes. Tiens, voilà une aiguille de sapin. Elle la ramasse. Mais c'est peine perdue, l'aiguille est beaucoup trop molle.

Katie tambourine des doigts sur sa joue en se concentrant. Une épingle à cheveux ferait l'affaire. Dans les très vieux romans policiers, les dames en avaient toujours sur elles. À défaut d'épingle à cheveux, que prenaient donc les détectives dans les cas d'urgence ? Katie se prend la tête à deux mains.

Ce faisant, elle se frôle une oreille. Quelque chose de pointu... Ça y est, elle a trouvé ! Vite, elle retire sa petite boucle d'oreille en forme de coeur. Tenant la tige bien droite, elle commence à écrire le mot « lac » mais elle pèse trop fort et fait un trou. Elle recommence, très délicatement. Ça marche !

L'apprentie-détective a bientôt fait de tracer la rive du lac et, huit kilomètres au sud, un petit ruisseau qui pique franc ouest. À la jonction, elle inscrit « Rocher de l'ours ». Puis elle note tous les autres repères, comme « Arbre brûlé » où Max leur a dit de suivre un ruisseau qui arrive du sud par-dessus un gros rocher à la face abrupte.

Comme Justin n'est toujours pas revenu, Katie commence à étudier sa carte. En bas, en grosses lettres carrées, elle écrit

«NID SECRET DE MAX». Elle a entrepris de dessiner trois petites têtes sortant d'un énorme nid quand une ombre tombe sur la feuille. Katie lève la tête.

– Tu en a mis du temps!

– Je parlais avec Max pendant qu'il bêchait son jardin de l'autre côté de la maison. Tu devrais voir ça, il fait pousser tous ses légumes lui-même. Il a même des fraises! Tiens!

Justin tend une main maculée de jus et de terre, pleine de grosses fraises rouges un peu écrasées.

– Non merci, dit Katie.

Justin s'en met une dans la bouche.

– Elles sont délicieuses! Les meilleures que tu aies jamais mangées!

– Je n'ai pas faim, dit Katie. Maintenant, regarde cette carte et dis-moi si j'ai oublié quelque chose.

– Fameux! dit Justin en examinant le papier ciré. Mais où est le cèdre fendu avec les trous de pic-bois?

– Ah oui! Il serait à peu près ici, non?

Justin hoche la tête et Katie fait une note sur la carte. Quand tous deux sont satisfaits du dessin, ils se mettent en marche sur le vieux chemin forestier. Katie tient la carte du bout des doigts, craignant que les marques ne disparaissent ou fondent si elle la plie et la met dans sa poche.

– J'ai chaud ! s'écrie Justin en arrivant sur la route plus large qui mène chez eux. Pourquoi on ne va pas se baigner au lieu de faire de la randonnée ?

– Bonne idée, dit Katie qui a hâte de recopier son dessin sur du vrai papier.

Chapitre 8

Le filet se resserre

Sitôt revenus au chalet, Katie et Justin font une longue baignade. Ensuite Justin se prépare à aller canoter avec son père. Dans son lunch, il met la brioche, pas très propre, qu'il a récupérée dans la poche du blouson de Katie.

– N'oublie pas ta casquette ! lui rappelle M. Taylor en descendant vers le lac avec les avirons et les gilets de sauvetage.

Justin est assis sur le perron en train de lacer ses souliers de course. Sa casquette est à côté de lui, juste au bord de la table.

– Non, non, t'en fais pas ! Tu sais bien que je n'oublie jamais rien !

Dans la chaloupe, ancrée près de la rive mais presque invisible derrière le vaste feuillage d'un aulne, Mme Taylor travaille à un tableau représentant le chalet au milieu de collines boisées.

«Enfin seule», se dit Katie en s'installant sur le perron avec une feuille de papier étalée sur son *Cahier d'enquêtes*. Sur la table de rotin vert foncé, elle étend la carte de papier ciré dont les marques sont restées bien visibles. Soigneusement, elle recopie son dessin sur le papier blanc et inscrit les repères. Puis elle prend quelques notes dans son cahier, glisse la nouvelle carte entre les pages et va ranger le cahier dans sa chambre sur une étagère.

Jetant ensuite un coup d'oeil par la fenêtre, elle voit sa mère qui rame vers le quai. Tiens, elle va lui faire une surprise et préparer un goûter. Katie court vers la cuisine.

Quelques minutes plus tard, elle sort dehors avec un plateau contenant des brioches à la cannelle, du fromage, du raisin vert et deux grands verres de thé glacé. Son nez se fronce. Quelque chose sent mauvais.

Sa mère grimpe le sentier pendant qu'une personne contourne la maison en toussant. Ben. Encore.

– Salut, voisine!

Souriant de toutes ses dents, Ben monte les marches. Katie le voit glisser une petite chose ronde dans sa poche. Il tousse encore.

Mme Taylor n'a pas précisément l'air ravie de le voir, elle non plus.

– Bonjour, Ben, dit-elle avec un sourire forcé en le rejoignant. Je vous ai vu arriver, alors me voilà. Kevin et Justin sont partis en canot pour la journée.

Elle a l'air d'espérer que Ben repartira tout de suite en voyant que son mari n'est pas là.

Katie va déposer le plateau sur la table. Les paroles de sa mère l'intriguent. Ben vient d'arriver, alors comment sa mère peut-elle l'avoir vu du lac ? Et puis comment l'odeur de son tabac a-t-elle pu le précéder ?

– Ah..., dit Ben en hésitant un peu. J'suis arrivé sur le côté d'la maison et j'ai pas vu de bateaux. Ça fait que j'ai pensé qu'y avait personne. Mais en retournant au camion, j'vous ai vue en chaloupe.

Sandra Taylor le regarde attentivement, les lèvres écartées comme pour ajouter quelque chose. Mais elle se ravise.

– Aimeriez-vous du thé glacé ? demande-t-elle à la place.

– Merci, c'est pas de refus.

Avec un petit grognement, Ben réussit à poser sa grosse carcasse sur le fauteuil.

– J'peux pas rester longtemps. C'est juste pour vous dire qu'ils ont emmené l'vieux Max au poste pour l'interroger.

Déposant sa pipe sur la table, il se prend un verre de thé glacé.

– Ouais, dit-il en s'inclinant confortablement en arrière, il s'est fait attraper la main dans l'sac. Ça doit faire des années qu'il chasse les aigles pis qu'il collectionne les plumes. Y paraît qu'ils ont trouvé deux cadavres d'aigles enterrés en arrière de son jardin. Il y avait un calepin dans son cabanon, avec la liste de tout ce qu'il vendait — des plumes, des becs, des serres — à qui il les vendait, pis combien ça rapportait.

– C'est impossible, dit Katie d'un ton sans réplique. Qui vous a dit ça?

Ben se retourne et la dévisage, son verre à mi-chemin des lèvres, le regard froid.

– Un vieux copain à moi, qui a tout vu d'ses propres yeux.

Il se prend une gorgée de thé et s'essuie la barbe du revers de la main.

– Impossible? Comment ça, impossible? demande-t-il.

– Euh... parce que... Max est plus intelligent que ça, non ?

– Ça a tout l'air que non, répond Ben en souriant de ses dents jaunes. Max est plus une jeunesse. Y paraît que les criminels finissent toujours par se trahir.

Ben continue de parler mais Katie n'écoute plus. Elle s'assoit sur une chaise et cherche des yeux la feuille de papier ciré. Disparue. Elle voudrait bien jeter un coup d'oeil sous le plateau, mais elle n'ose pas. La carte était-elle encore sur la table quand elle a déposé le plateau ? Elle n'a pas remarqué. Baissant le regard, elle aperçoit, au lieu de la carte, la casquette de baseball de Justin. Prise d'une impulsion soudaine, elle la ramasse et se la met sur la tête.

– Katie, irais-tu préparer d'autre thé glacé s'il te plaît ? dit sa mère. Rapporte des brioches en même temps, veux-tu ?

Ben se tourne vers Katie. Ses yeux s'agrandissent d'un coup.

– T'en as une, toi aussi ?

– Une quoi ? demande Katie innocemment.

– La casquette, répond Ben en balbutiant. Je... euh... j'pensais que je l'avais déjà vue sur ton frère...

– C'est la sienne effectivement, mais je peux la porter... tant qu'il n'en sait rien, finit-elle en riant.

Ben s'étouffe presque, mais ne quitte pas la casquette des yeux. Katie s'enfuit dans la cuisine.

Elle attrape un verre dans l'armoire, ouvre le réfrigérateur au propane, sort la glace, la dépose sur le comptoir — à côté de son appareil-photo. L'air soudain songeur, elle dépose une cuillerée de thé instantané dans le verre. Puis elle regarde par-dessus son épaule, vers la porte. Brusquement, elle laisse tomber la cuiller, saisit l'appareil-photo et se précipite dans la chambre de Justin au fond du chalet. Ouvrant la fenêtre, elle se glisse dehors, les pieds en premier.

En l'espace de quelques secondes, elle a atteint le camion de Ben. Il est tellement boueux qu'il n'est plus gris, mais brun. Par la fenêtre elle aperçoit la boîte de carton et la bassine. Pas de canne à pêche cependant. La poignée, à l'arrière du véhicule, laisse sur sa main une traînée de boue visqueuse. Elle ouvre la portière (pas complètement, se souvenant qu'elle grince), monte sur le pare-chocs et enjambe la paroi. Pas moyen

d'éviter de se salir les jambes et le short... Elle rampe jusqu'à la boîte de carton. À l'intérieur elle découvre, comme elle l'espérait, une paire de bottes de randonnée : d'immenses bottes de cuir brun avec des lacets rouges et noirs.

Katie sourit. Les bottes prouvent que Ben peut être la personne qu'elle a vue dans la forêt le jour des coups de feu. Elle en soulève une. La semelle est couverte de boue séchée. La boîte contient aussi une paire de jumelles. Et dans la bassine, rien sauf — tiens, tiens — une fine couche de sciure de bois. Katie lève les yeux : la canne à pêche est là, fixée sur des crochets tout neufs.

Un bref regard par la fenêtre et elle saute à terre. Petite inspection des pneus : ils sont très larges avec un motif de lignes entrecroisées au relief marqué. Dans l'allée mouillée, ils ont creusé une empreinte très nette, identique à celle qu'elle a observée sur la route menant chez Max. Clic, clic : une photo des traces, une autre du camion. Vite, Katie repasse par la fenêtre de la chambre.

Elle se lave les mains, s'essuie les jambes. Dans la cuisine, elle jette des glaçons dans le verre, le remplit d'eau, attrape deux brioches. Juste comme elle se retourne, sa mère apparaît sur le pas de la porte.

– Je suis venue voir ce que tu fabriquais, dit-elle.

– Euh... la boîte de thé était vide. J'ai dû fouiller pour en trouver une autre.

Katie sort en essayant de dissimuler avec son verre la tache de boue qui macule son short. Sa mère la regarde d'un air perplexe.

Dehors sur la table, l'un des verres est vide et toutes les brioches ont disparu. Ben s'est levé.

– Faut que j'y aille, dit-il en essuyant les miettes sur sa barbe. 'scusez-moi de m'sauver si vite.

– Je vous en prie, dit Mme Taylor, sa voix trahissant une certaine hâte.

Sitôt Ben parti, Katie s'assoit avec son verre. À cet instant précis, elle avise un petit bout de papier ciré qui dépasse en dessous du plateau, sur la table, exactement là où elle l'a laissé plus tôt. Comment se fait-il qu'elle ne l'ait pas remarqué ? Soulevant le plateau, elle prend le papier. Il a les mêmes dimensions que sa carte mais quelqu'un, c'est évident, en a fait une boule avant de l'aplatir à nouveau: il est strié de petites lignes blanches et le dessin a complètement disparu.

Sandra Taylor attend que la camionnette de Ben démarre avant d'ouvrir la bouche.

– Je l'ai aperçu sur la galerie quand j'étais encore sur le lac, dit-elle. Il faut croire que lui ne m'a pas vue. As-tu une idée de ce qu'il faisait ici ?

– Oui, maman, j'en ai une.

Le moment est venu pour Katie de tout raconter à sa mère.

– Avec la carte, dit-elle en concluant son récit, Ben ira tout de suite attaquer les aigles dans le nid, et je ne sais pas comment l'arrêter.

– Ce n'est pas à nous de l'arrêter, dit sa mère en joignant les mains sous son menton. Il est armé, donc dangereux. Et comme il a un bateau à moteur — bleu avec un toit blanc, je l'ai vu — il peut atteindre le nid en un rien de temps.

Elle continue de réfléchir en regardant le plancher.

– Je ne vois qu'une solution possible: quelqu'un doit aller le cueillir sur place. Quelqu'un comme Jack Robertson.

Katie dévisage sa mère et se lève d'un bond.

– Allons-y!

– Prends ta carte et ton appareil-photo. Je vais écrire un petit mot à ton père et Justin.

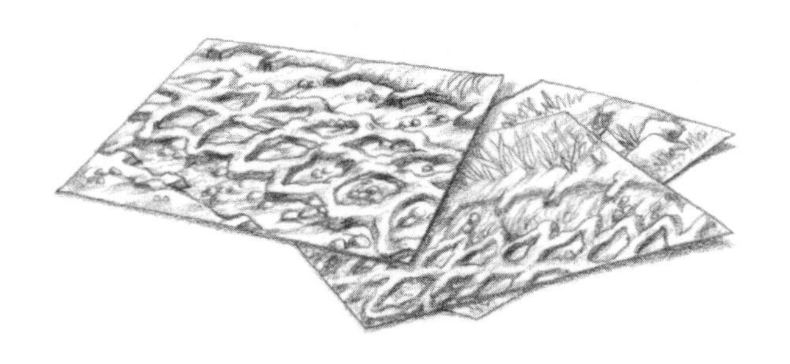

Chapitre 9

Le plan de Katie

Le crayon de Jack Robertson tambourine sur le bureau.

– Ce pourrait tout aussi bien être Max que Ben que vous avez vu dans le bois, dit-il.

– Ils ont les mêmes bottes, c'est vrai, reconnaît Katie, et les deux toussent quand ils font un effort. Des fois, Max grogne quand il se penche, mais Ben, lui, grogne chaque fois parce qu'il est gros. Et Max ne fume plus, ce qui fait qu'il ne sent pas les vieilles ordures.

L'agent s'efforce de ne pas sourire.

– Un grognement et une mauvaise odeur ne sont pas des indices très probants, tu sais. Et puis Max avait l'habitude de fumer la pipe; crois-en mon expérience, les ex-fumeurs peuvent se remettre à fumer n'importe quand.

Il dépose son crayon.

– À mon avis, c'était Max. Regarde toutes les preuves qui s'accumulent contre lui.

L'agent se met à compter sur ses doigts.

– Un: Il se fiche des nouveaux règlements. Il pense qu'il peut continuer à faire les choses exactement comme avant. Deux: Il avait la casquette de Justin. C'est toi-même qui me l'as dit. Trois: On a trouvé deux cadavres d'aigles enterrés sur son terrain. Quatre: On a trouvé dans sa remise une liste de tout ce qu'il a vendu.

Katie relève le menton avec défi et regarde Jack droit dans les yeux.

– Il est victime d'un coup monté, je le sais. Pensez-vous, si c'est lui qui a tué les aigles, qu'il serait assez bête pour les enfouir sur son propre terrain? Et pourquoi les enterrer dans son potager quand il serait aussi facile de les cacher dans le bois? D'ailleurs, je suis certaine que la liste n'est pas de lui.

– Pourquoi ne serait-elle pas de lui?

– Parce que, dit Katie en rejetant ses cheveux en arrière, il ne sait ni lire ni écrire. Il ne veut pas l'admettre, mais c'est vrai.

Jack est surpris. Après une seconde d'hésitation, il demande :

– Qu'est-ce qui te fait croire ça ?

– Plusieurs choses.

Comme Jack, Katie compte sur ses doigts.

– Un : Il est devenu très nerveux quand je lui ai demandé s'il avait un livre sur les oiseaux pour identifier les plumes. Deux : Je suis sûre qu'il n'a pas lu le journal de sa mère mais qu'il en a envie. Trois : Il ignorait tout à fait que la casquette appartenait à Justin. Il n'a même pas voulu regarder l'étiquette quand Justin lui a dit que son nom était inscrit dessus. Quatre : Quand je lui ai demandé de nous tracer le trajet vers le nid en inscrivant les points de repère, il s'est fâché.

Elle s'arrête, regardant Jack attentivement. « Quatre à quatre, nous sommes à égalité », pense-t-elle.

Jack ramasse de nouveau son crayon.

– Écoute, Katie. Tes observations permettent de faire des hypothèses intéressantes, mais aucune ne porte sur des faits. Ce qu'il faut, ce sont des preuves concrètes, comme les miennes.

Katie cherche dans sa tête un élément concret, solide. Soudain, l'idée surgit.

– Les deux véhicules alors? Celui de Ben a pris la route hier, c'est évident: il est tout sale, comme le nôtre. Celui de Max n'a pas bougé depuis longtemps. Or, les coups de feu qu'on a entendus hier après-midi venaient de la montagne, de l'autre côté du lac. Max n'est quand même pas allé jusque-là à pied.

Jack pose son regard sur une grosse pile de papiers.

– Le fait que Max n'est pas sorti hier ne prouve rien, Katie. Quelqu'un d'autre a pu aller dans le bois pratiquer son tir, comment veux-tu le savoir?

Il attire à lui la pile de papiers.

Katie se mouille les lèvres, sentant qu'elle perd pied. Décidément, cette entrevue tourne mal. Elle a déjà mentionné les photos une fois, mais décide d'en reparler. Elle n'a rien à perdre.

– J'ai photographié des empreintes de pneus sur le vieux chemin forestier. Elles montrent que Ben est allé chez Max hier. Est-ce une preuve assez concrète?

Jack se penche vers elle.

– Là, tu tiens peut-être quelque chose. Tu crois que Ben est allé chez Max en cachette, qu'il a enterré les aigles et qu'il a caché le calepin dans la remise?

Katie fait signe que oui.

Jack réfléchit.

– Si tu a deviné juste et que Max ne sait pas lire, cela expliquerait pourquoi il refuse de signer une déposition.

– Où est-il maintenant ?

– Au poste de la Gendarmerie royale. Il est en détention provisoire parce qu'il refuse de coopérer. J'espère pouvoir le faire examiner par un médecin demain matin.

– Pourquoi faire ?

– Il m'inquiète. Je crois qu'il ne devrait plus habiter seul. Il commence à se faire vieux après tout.

– Mais ce n'est pas juste ! Il est en grande forme ! Et en plus, il est innocent ! Ce n'est pas lui qui a fait la liste et je pense que je suis capable de vous le prouver !

L'agent tapote ses papiers avec son crayon pendant que Katie expose son plan. Quand elle s'arrête, il hésite si longtemps qu'elle est sûre d'avoir perdu la partie.

– Bon, voici ce qu'on va faire, finit-il par dire. Je ne peux pas m'absenter tout de suite, j'ai du travail à faire. Mais quand ta mère reviendra avec les photos, je vais les examiner.

– Je voulais ajouter aussi que...

– Katie, me laisserais-tu travailler, s'il te plaît, jusqu'à ce que ta mère revienne?

– D'accord.

Katie se lève sans bruit et sort dehors. Pour tromper son impatience, elle s'assoit sur les marches, ouvre son *Cahier d'enquêtes* et passe en revue tous ses indices pour s'assurer de n'avoir rien oublié.

Vingt minutes plus tard, la fourgonnette débouche en trombe dans le stationnement.

– Les voilà! dit Mme Taylor en courant vers Katie avec les photographies. Regarde!

Katie trouve tout de suite les empreintes de pneus; photographiées à trois endroits différents, elles sont identiques. Puis elle examine la photo de la camionnette de Max, poussiéreuse, couverte d'aiguilles de pin et sans la moindre trace de boue.

– Viens-t'en, dit-elle à sa mère. Je crois l'avoir presque convaincu.

****

Katie et Mme Taylor attendent, dehors, le retour de Jack. Il y a plus d'une demi-heure qu'il est entré au poste de police. Enfin l'agent réapparaît, l'air soucieux.

– Tu avais raison, Katie. J'ai tendu le petit mot à Max en lui disant qu'il venait de la part d'amis qui voulaient l'aider mais ne pouvaient pas lui rendre visite. « Quels amis ? » a-t-il demandé en refusant de regarder le billet. « Lisez-le, vous verrez bien », ai-je dit. Comme je poussais la feuille devant lui, il a été bien obligé de la prendre. Il l'a dépliée, l'a regardée pendant une minute. Puis il a dit que ça ne l'intéressait pas et me l'a redonnée. Alors j'ai fait semblant de me mettre en colère et j'ai dit: « Quoi ? Vous ne voulez pas que Katie et Justin s'occupent de vos chiens pendant que vous êtes ici ? Vous aimez mieux les laisser mourir de faim ? »

– Et qu'est-ce qu'il a répondu ? demande Katie, un gros noeud dans la gorge.

Comme ce doit être effrayant d'être enfermé dans un endroit qu'on ne connaît pas...

– Il s'est affaissé dans sa chaise et s'est caché le visage dans les mains. Je lui ai demandé s'il savait lire un peu, mais il a refusé de répondre. Alors j'ai essayé de lui expliquer que ce n'était pas honteux, que beaucoup d'adultes n'ont jamais appris à lire. J'ai même ajouté délicatement que s'il voulait apprendre, quelqu'un pouvait le lui enseigner.

– Pauvre Max ! dit Mme Taylor.

Jack sourit.

– Il m'a regardé. J'ai même cru pendant un instant qu'il allait accepter ma proposition. Mais devinez ce qu'il m'a dit.

– Les professeurs, ça donne rien pantoute, dit Katie en imitant Max.

Jack hoche la tête et tous les trois se mettent à rire.

– Allez-vous le libérer maintenant ? demande Katie.

– Non. Ce n'est pas parce qu'il ne sait pas lire qu'il ne tue pas les aigles.

– Mais le calepin ! Max ne peut pas être l'auteur de la liste ! Et puis les pneus — les pneus prouvent que Ben est allé chez Max hier. Il devait bien avoir quelque chose derrière la tête.

Jack s'obstine à ne pas la regarder.

– Nous sommes autorisés à le garder jusqu'à demain et c'est exactement ce que j'ai l'intention de faire. D'ailleurs, s'il soupçonne Ben et que nous le libérons, il pourrait bien faire une bêtise. En attendant, nous allons surveiller Ben; s'il s'approche du nid, nous allons fondre sur lui comme des aigles sur un poisson.

****

Ce soir-là, assis à la table de la cuisine, la tête appuyée sur les bras, Justin gémit :

– Ah ! que j'ai mal à la tête !

– Tu aurais dû porter ta casquette. Je te l'avais pourtant rappelé, dit son père. Les lunettes de soleil, ce n'est pas suffisant pour se protéger.

– Je sais.

– Moi je dis : heureusement qu'il l'a oubliée, dit Katie. Aussitôt que Ben l'a vue, j'ai su qu'il était le coupable. Tous les criminels finissent par se trahir !

Justin ouvre un oeil tout rouge pardessus ses bras repliés.

– Il s'est trahi ?

– Il ne pouvait pas t'avoir vu avec la casquette. La première fois qu'on l'a rencontré, tu l'avais déjà perdue. Pourtant, dès que je me la suis mise sur la tête, il a su qu'elle t'appartenait.

– Très intéressant, soupire Justin. Salut, je vais me coucher.

Chapitre 10

Bien pris qui croyait prendre

Katie est étendue au soleil sur le quai, tout engourdie de chaleur. Elle voudrait dormir mais un agaçant moteur de hors-bord bourdonne dans sa tête, de plus en plus fort. Elle essaie de se boucher les oreilles. Ses bras refusent de lui obéir: ils restent là, inertes à ses côtés comme deux morceaux de bois, tellement lourds qu'elle n'arrive pas à les soulever. Elle ouvre les yeux.

Les premières lueurs de l'aube commencent à peine à percer l'obscurité de sa chambre. Où est-elle donc?

Katie cligne des yeux vers le carré plus pâle de sa fenêtre. Son rêve était si réel qu'il lui faut un moment pour s'apercevoir qu'elle se trouve dans son lit, au chalet, et pas sur le quai ensoleillé. Mais le bruit du moteur persiste; on dirait un essaim de moustiques dans ses oreilles.

Katie est très bien, au chaud entre ses draps douillets. Elle n'a pas envie de bouger. Sortant son bras gauche de sous la couverture, elle tire un peu le rideau. Juste assez pour voir le lac. Dehors, le jour n'a pas encore répandu ses couleurs; seules apparaissent les silhouettes grises des aulnes et, derrière, la surface argentée du lac qui s'étend vers la masse sombre des collines.

Brusquement, Katie se dresse sur son coude. Des ondulations froissent le miroir de l'eau. Elle distingue vaguement un petit bateau, gris dans le petit jour, au toit un peu plus pâle que la coque (blanc sans doute). Il file vers le sud. Katie sourit en se recroquevillant sous les couvertures et se laisse reprendre par le sommeil: le poisson a mordu à l'hameçon.

****

Beaucoup plus tard ce matin-là, Katie sort en canot sur le lac. Elle veut s'exercer à pagayer d'un seul côté tout en maintenant le canot en droite ligne. Soudain, elle entend, venant du sud, des crépitements étouffés. Seraient-ce des coups de feu ? Longtemps, elle reste là à dériver, le regard tourné vers le sud, la tête pleine de questions.

****

Le même soir, les Taylor prennent le souper sur la galerie, à la fraîcheur. Ils ne parlent pas. Chacun tend l'oreille vers le lac. Katie, tenant son assiette en équilibre sur ses genoux, scrute l'eau une nouvelle fois, espérant voir approcher un bateau. Toujours rien. Jack Robertson aurait-il manqué à sa parole ?

Brusquement, elle se redresse, dépose son assiette sur la petite table et dévale les marches.

– Ils arrivent ! crie-t-elle en courant vers le quai.

Justin, casquette sur la tête et verres fumés sur le nez, rejoint bientôt sa soeur, suivi de leurs parents. Le canot pneumatique gris fonce à pleins gaz vers la rive devant une petite embarcation à moteur d'un bleu brillant. Les deux bateaux virent à angle droit vis-à-vis du quai.

– Tu avais raison ! lance Jack en coupant les moteurs.

Son bateau glisse vers Katie, qui se penche pour le retenir. Ben est affaissé sur le siège avant, l'air abattu, les mains posées sur les cuisses. Il n'adresse pas un regard aux Taylor. Derrière se tient un homme vêtu de la tenue brun clair des agents de la Gendarmerie royale du Canada. Le moteur du hors-bord de Ben tourne au point mort près du quai, conduit par un deuxième agent.

– Il a fini par grimper jusqu'au nid d'aigles, où nous étions prêts à lui mettre la main au collet. Heureusement que j'ai emmené ces deux gars de la Gendarmerie, Ben a essayé de me tirer dessus !

Quand Ben s'agite sur son siège, Katie aperçoit les menottes qui lui enserrent les poignets.

– Je tirais au-dessus de ta tête ! tonne-t-il. Juste pour voir de quel bois tu te chauffes ! J'allais pas tuer les aigles non plus, j'montais pour voir comment ils se portaient après le sale coup de Max !

– Quel brave homme ! Veux-tu prendre ma place d'agent pendant que tu y es ?

Ben grogne, se retourne et crie :

– Faites attention à mon bateau, vous autres!

– On ferait mieux de l'emmener en ville au plus vite, dit Jack.

– Et Max? demande Katie.

–Je vais le ramener chez lui à la première heure demain.

Jack baisse les yeux un bref instant, puis regarde Katie en esquissant un sourire.

– Tu sais, dit-il, je crois que tu as raison. Il est parfaitement capable de se débrouiller tout seul.

Puis, avec un sourire franc maintenant, il tend la main à Katie.

– Je te félicite pour ton excellent travail dans cette affaire. C'est très heureux pour Max que tu aies participé à l'enquête.

– Katie Taylor, l'éco-détective! Ma fille, c'est quelqu'un! claironne M. Taylor.

Katie, toute fière, sourit jusqu'aux oreilles. Puis elle voit Justin qui fixe le fond de l'eau sans dire un mot.

– Oh! mais je n'étais pas toute seule, dit-elle aussitôt. Justin m'a beaucoup aidée. Je n'y serais jamais arrivée sans lui.

– Eh bien, merci à tous les deux alors, dit Jack en mettant le moteur en marche.

Quelques minutes plus tard, les deux bateaux virent vers le nord.

****

Le lendemain, sur la plage, Katie et son père grattent la coque de la chaloupe pour la repeindre. Mme Taylor et Justin sont allés en ville acheter de nouvelles bottes de randonnée.

– Oink-oink-oink!

Ils lèvent la tête vers le lac. Un vieux canot de bois tout abîmé s'approche. Dans son sillage nage une bernache. Le visiteur soulève son aviron dans les airs.

– Salut vous autres!

Au son de la voix de son maître, un chien roux soulève son énorme tête du fond du canot et dépose son museau noir sur le plat-bord.

– Salut, Max! répond Katie en envoyant la main.

L'embarcation heurte la rive, retenue par M. Taylor. Wellington saute à terre tandis que Max se déplace prudemment vers l'avant, un gros panier de fraises à la main. Le regardant descendre du canot, Katie remarque qu'il s'est rasé et a lissé proprement sa mèche de cheveux blancs. Il porte une chemise à carreaux toute neuve, des jeans propres pas du tout élimés et des loafers en cuir noir brillant à l'ancienne mode. Katie sent monter une bouffée d'affection pour le vieil homme et lui fait son plus beau sourire.

– Max, dit-elle joyeusement, je vous présente mon père, Kevin Taylor.

– Très content de vous rencontrer, dit Max.

Il tend le panier de fraises à Katie tout en gardant son coude gauche collé à ses côtes.

– Tiens, elles sont pour toi. Je suis venu une p'tite minute pour te dire merci.

– Merci, Max. J'adore les fraises !

– On s'apprêtait à faire une petite pause, dit M. Taylor. Est-ce qu'on peut vous offrir un thé glacé et un sandwich ?

– Eh ben, je...

– Ça nous ferait plaisir. J'ai beaucoup entendu parler de vous, vous savez. Quel beau chien vous avez ! dit M. Taylor en grattant Wellington derrière les oreilles.

À cet instant, Mathilda la bernache monte sur la grève en cacardant et va se poster entre le chien et le père de Katie. Tout le monde éclate de rire.

– Toi aussi, tu es belle! lui lance M. Taylor. Tenez, continue-t-il en montrant le banc de bois, on va rester au bord du lac pour ne pas laisser le chien et la bernache tout seuls.

– Je vous en prie, Max! insiste Katie en courant s'asseoir.

Max a un sourire hésitant.

– Bon d'accord, finit-il par dire.

– Très bien, dit le père de Katie. Installez-vous tous les deux pendant que je nous prépare à manger.

M. Taylor part en direction du chalet avec le panier de fraises.

– Il est sympathique, fait Max en le regardant s'éloigner. Pas comme c't'imbécile d'agent de conservation.

– En fait, dit Katie avec un grand sourire, il est professeur de français.

Max est stupéfait.

– Eh ben... dit-il en gloussant. Un professeur... ça par exemple!

Riant toujours, il va s'asseoir sur un rondin en face de Katie, le bras gauche encore pressé contre les côtes.

– Vous vous êtes fait mal?

– Non... euh... j'ai apporté quequ' chose.

De la main droite il tire un petit livre de sous son coude.

Katie devine sur-le-champ de quoi il s'agit mais elle n'est pas sûre que ce soit le moment de parler. Elle attend.

– J'me demandais... dit Max en regardant le livre qu'il serre à deux mains.

Il s'éclaircit la voix et reprend :

– C'te livre-là, c'est le journal de ma mère, ça fait que j'me demandais si... peut-être ben que...

– Vous aimeriez que je lise ? Tout haut ?

Max hoche la tête en regardant ailleurs.

– Ça me plairait beaucoup !

Revenu avec un plateau plein de bonnes choses, le père de Katie s'assoit pendant qu'elle finit la lecture du premier passage.

– Votre mère écrivait très bien, dit-il. Vous avez de la chance de posséder son journal. Un jour, si vous le permettez, j'aimerais bien le lire moi aussi.

Max fait oui de la tête sans mot dire, le visage tourné vers le lac.

****

Pendant qu'ils cassent la croûte, Max raconte comment il est venu s'établir sur la rive du lac à l'Aigle. Wellington, couché à ses pieds, ronge un os rapporté par M. Taylor, et Mathilda se gave du grain que Max lui jette à la volée. Finalement, ce dernier se lève pour prendre congé. Les deux hommes se serrent la main.

– Je vous envie d'avoir passé votre vie dans un endroit pareil. Pas de soucis... sauf pour la nouvelle réglementation et Jack Robertson, dit Kevin Taylor en riant.

Max sourit en grattant son crâne chauve.

– Ouais, p't'êt ben qu'il est pas si imbécile que j'pensais puisqu'il attrape des vieilles crapules comme Ben. Mais qu'il nous laisse donc tranquilles avec ses règlements!

– Faut croire qu'il essaie de protéger la faune du mieux qu'il peut.

– Faut croire, dit Max en montant dans le canot.

Il range le précieux journal dans une boîte de bois sous le siège.

– L'bon vieux temps, c'est fini, remarque-t-il en prenant son aviron.

Wellington saute dans le canot pendant que Mathilda retourne à l'eau en se dandinant.

– Venez me voir, tout l'monde, quand vous pourrez. J'vas vous faire cuire une sacrée chaudronnée de poisson. Pis on lira encore dans mon livre, ajoute-il en appuyant l'aviron au fond de l'eau pour reculer.

Quand il s'est éloigné, Katie demande :

– Papa, qu'est-ce que c'est, une crapule ?

– Une crapule ? dit-il de sa plus belle voix de professeur. C'est quelqu'un de méchant. Quelqu'un qui n'a pas de moralité.

– Ah ! C'est même pire qu'un serpent venimeux, alors.

Intrigué, son père fronce les sourcils, puis retourne à la chaloupe et se remet à racler la peinture.

Épilogue

Environ un mois plus tard, les Taylor retournent chez Mme Baker pour participer à la libération des aigles. Comme l'événement doit avoir lieu très tôt le matin, il a été convenu qu'ils arriveraient la veille et dormiraient sous la tente.

– Ils battent des ailes et sautent sur place depuis des semaines, explique la biologiste en marchant avec ses invités vers le nichoir. Demain matin, une heure avant l'aube, je vais ouvrir la porte. J'espère qu'ils ne seront pas trop perturbés. L'idéal serait qu'ils mettent du temps à sortir et prennent leur envol quand ils seront prêts.

– Et nous, qu'est-ce que nous ferons ? demande Kevin Taylor.

– J'ai besoin d'observateurs pour suivre leur premier vol. Comme ils risquent de se retrouver par terre, il faudra peut-être les aider à recommencer l'exercice. J'espère seulement qu'ils ne tomberont pas dans la rivière.

Katie est très étonnée des changements qu'elle constate chez les aigles, aussi grands que des adultes maintenant. La femelle est toujours plus grosse que le mâle. Tous deux ont le plumage brun foncé, le bec sombre, du blanc à la base de certaines plumes. Sous l'oeil attentif de Katie, la femelle déploie ses immenses ailes et fait des mouvements comme pour voler. Elle frappe son frère à la poitrine ; en retour, ce dernier lui donne des coups de bec dans l'aile.

– Dépêche-toi, crie Justin d'en bas. C'est mon tour !

Un dernier coup d'oeil sur les oiseaux et Katie redescend l'échelle.

****

Une fois les tentes dressées à proximité du nichoir, tout le monde va se coucher. Katie, étendue dans sa petite tente individuelle, est trop excitée pour dormir. Elle ferme les yeux et écoute les bruits de la nuit : le cri de la chouette, les petits bruissements dans les buissons, le hurlement lointain d'un loup. Doucement, elle glisse dans le sommeil.

C'est un bruit de voix qui la réveille. Elle prête l'oreille une minute : sa mère parle avec Mme Baker. Il fait encore nuit, mais comme Katie ne veut rien manquer, elle passe un chandail bien épais et, en bâillant, rampe hors de sa tente. Une forme sombre tient une lampe de poche pendant que la silhouette de Mme Baker grimpe le long de l'échelle. Katie l'observe pendant qu'elle ouvre doucement la porte du nichoir, puis redescend.

Leur hôtesse a préparé du chocolat chaud sur un petit poêle de camping. Dans la vague grisaille qui précède l'aube, chacun se retrouve assis sur son tapis de sol, la tasse à la main. Ils sont tous dans l'attente de l'événement. Lentement, derrière les cimes noires des arbres, le ciel passe du bleu profond au bleu clair du jour.

Sur la plate-forme, aucun mouvement. Les rayons du soleil percent maintenant le feuillage. Katie pense ôter son chandail quand elle entend un grattement qui lui fait lever la tête. Un des jeunes aigles saute jusqu'au perchoir et bat des ailes. Une minute après, l'autre apparaît : le mâle, puisqu'il est plus petit. Tous deux déploient leurs ailes en sautillant comme s'ils avaient envie de prendre leur envol.

– C'est le moment de nous disperser, dit Mme Baker à voix basse.

Katie se rend vite au poste qui lui a été assigné sur un affleurement rocheux. Elle grimpe dessus et se retourne pour observer le nid, une main en visière contre les rayons du soleil levant. La femelle aigle s'agite. Elle fait un grand saut, bat des ailes à trois reprises. Mais quand elle se pose, elle rate le perchoir et tombe, glissant vers le sol les ailes ouvertes. Katie retient son souffle. Soudain, comme s'il venait juste d'y penser, l'oiseau se remet à battre des ailes exactement comme il s'y est exercé. Il vole encore sur une centaine de mètres et atterrit gauchement sur une grosse branche de cèdre.

Resté sur la plate-forme, le mâle sautille en lançant de petits cris gutturaux. Puis il déploie ses ailes et s'élance dans les airs en direction d'un arbre mort. Pattes tendues, serres prêtes à agripper une branche, il commence à replier ses ailes quand celle-ci craque et se casse, heurtant d'autres branches dans sa chute. L'aigle bat frénétiquement des ailes en poussant des cris pointus et repart en volant vers la rivière, perdant peu à peu de l'altitude. Tous les observateurs accourent.

– Je sais où il est, dit Justin, posté non loin de l'eau.

Courant vers un marécage, il montre à Mme Baker l'oiseau qui s'est écrasé. Elle avance vers l'aigle dans l'eau peu profonde, un solide bâton à la main. L'ayant rejoint, elle colle le bâton contre sa poitrine juste au-dessus des puissantes pattes. Alors l'oiseau grimpe dessus et Mme Baker le soulève bien haut: l'aigle bat des ailes et s'envole vers un arbre.

– Que va-t-il leur arriver maintenant? demande Katie.

– Les parents les nourrissent généralement pendant quelques semaines après qu'ils ont quitté le nid. Je vais donc leur laisser du poisson et d'autres choses à manger sur la plate-forme.

– Comment vont-ils apprendre à se nourrir tout seuls alors? demande Justin.

– Je déposerai de moins en moins de nourriture là-haut et j'en mettrai au bord de la rivière et en d'autres endroits où ils en trouveraient normalement. S'ils survivent jusqu'à l'automne quand les saumons vont frayer, je crois qu'ils s'en tireront.

– J'espère que oui ! s'écrie Katie.

– L'imbécile de Ben, dit Justin en colère. Je suis très content qu'on l'ait attrapé. Dès le début, c'est lui que j'ai soupçonné.

– Ah oui ? Il me semble que tu as aussi soupçonné Max pendant un bout de temps.

– Toi aussi, tu ne peux pas le nier !

– Pas quand j'ai pu réunir tous mes indices.

– Voilà donc comment la brillante Katie Taylor a résolu sa première grande enquête !

– Grâce à l'aide de son irremplaçable homme de confiance !

Et Katie fait une petite révérence à son frère.

Table des matières

Dans la même collection :

1. **LA FORÊT DES SOUPÇONS**
   Josée Plourde

   Qui donc a intérêt à tenir Fanie et sa bande loin de la forêt ? Les méchants Trottier peut-être ? Une mystérieuse histoire de braconnage où le coupable n'est pas facile à démasquer.

2. **LES YEUX DE PÉNÉLOPE**
   Josée Plourde

   Que faire lorsqu'on tombe en amour avec un chien-guide qui devra bientôt partir pour servir d'yeux à un aveugle ? Voilà de quoi bouleverser la vie d'Andréanne, la meilleure amie de Fanie.

3. **ENQUÊTE SUR LA FALAISE**
   Jean-Pierre Guillet

   Un faucon qui titube dans le ciel — un camion-citerne dissimulé dans le bois — un voisin qui tombe malade... Guillaume et Julie rassemblent fiévreusement les indices. Arriveront-ils à mettre la main au collet du pollueur ?